RELATOS

Colección dirigida por
ANA MARÍA MOIX

PLAZA [PJ] JANÉS

Rafael Pérez Estrada (Málaga, 1934) es uno de los escritores más rupturistas de la actual literatura peninsular. A su primer libro, *Valle de los galanes* (1968), siguieron otros títulos de teatro, poesía y narrativa de vanguardia. Su obra, que combina distintos géneros (desde el luminoso aforismo hasta la novela desarrollada en unas pocas líneas) y las más diversas temáticas (desde los bestiarios hasta la erudición fantástica), se apoya únicamente en la imaginación pura, en la fantasía verbal y en una visión de la realidad gozosamente reinventada. Escritor de culto, de sensibilidad exquisita y de una mágica brillantez lingüística, sus textos parecen haber sido escritos en estado de gracia. *Conspiraciones y conjuras* (1986), *Siete elegías mediterráneas como siete pecados capitales* (1987), *Bestiario de Livermoore* (1988), *Breviario* (1988), *Libro de los espejos y las sombras* (1988), *Jardín del Unicornio* (1989), *Inventario de gemas crueles* (1989), *La ciudad velada* (1989), *Tratado de las nubes* (1990), *Los oficios del sueño* (1991), *La noche nos persigue* (1991), *La sombra del obelisco* (1993), *El domador* (1995) y la novela *Ulises o el libro de las distancias* (1977) son algunos de sus títulos más emblemáticos.

En la colección Poesía Plaza apareció *El ladrón de atardeceres*, antología de poemas de Pérez Estrada a cargo de José A. Cirelluelo.

La presente colección de relatos se publica por vez primera.

Rafael Pérez Estrada

El muchacho
amarillo

PLAZA & JANÉS EDITORES, S.A.

Diseño de la portada: Marta Borrell
Fotografía de la portada: © Photonica

Primera edición: febrero, 2000

© 2000, Rafael Pérez Estrada
© de la presente edición: 2000, Plaza & Janés Editores, S. A.
  Travessera de Gràcia, 47-49. 08021 Barcelona

Printed in Spain – Impreso en España

ISBN: 84-01-57075-1
Depósito legal: B. 5.638 - 2000

Fotocomposición: Comptex & Ass., S. L.

Impreso en Litografia Rosés, S. A.
Progrés, 54-60. Gavà (Barcelona)

L 570751

LA IMPORTANCIA DE SER UN MUCHACHO EMPRENDEDOR

Era un muchacho emprendedor que vivía bajo el cielo desnudo de Bangladesh, un muchacho que para sentir el calor de la riqueza vendió uno de sus riñones a un americano filatélico y con un diente de oro de 22 quilates. Aquella hazaña le valió el respeto y la consideración de cuantos le conocían, y él, que era ingenuo y generoso, pensaba en la extraordinaria pericia de los cirujanos que habían sabido arrancarle un riñón sin apenas notarlo.

De noche, después de invitar a beber con sus nuevos billetes a sus vecinos, solía —sintiéndose por primera vez importante— contarles historias maravillosas, y les hablaba de cómo eran los efectos de la anestesia: Mitad alcohol y mitad sueño. Y también les hablaba de la vida del americano filatélico y con un diente de oro de 22 quilates:

—Si vierais —les decía— el lujo de su existencia: Su casa en Nueva York está en un edificio de mil metros de altura, y él vive en el piso más alto. Doscientas mujeres le suben constantemente el agua en cántaros del plástico más verde que hayáis imaginado nunca. Tiene búfalos y elefantes que duermen junto a él para darle calor, y cuando se aburre abre las ventanas para acariciar a las nubes que son sus amigas.

Sólo cuando la noche se hacía más densa, les hablaba de su riñón, del que estaba en América:

—Me acuerdo tanto de él —les decía—, era tan rojo y tan hermoso. En verdad —proclamaba— es una suerte haber colocado un riñón en el cuerpo de un señor tan importante.

Y la gente, que no sabía de esas cosas, lo miraba con envidia.

LA CIUDAD

De noche dejo las ventanas abiertas para ver mejor la ciudad. Sus luces surgen esplendentes ahuyentando los fantasmas del miedo y dando la impresión de esa estética urbana que confunde en una sola todas las ciudades, trasladándolas a una extraña geografía metafísica. Sin embargo —me digo—, mi ciudad es distinta. Con una arquitectura sofisticada de rasgos modernistas, aparenta seguir las viejas costumbres burguesas.

Ya somos pocos los que la habitamos. Los antiguos pobladores, con los que en otros tiempos había coincidido en bancos y mercados, están muertos o son sólo sombras.

Como un anillo amenazante, los montes nos rodean. Somos una especie de isla cercada por altísimos y terribles montes. La gente empezó a huir cuando se supo que la precisa tipografía municipal y el servicio del catastro habían advertido que el anillo amenazante se iba cerrando sobre nosotros. Día a día la superficie de la ciudad iba disminuyendo.

Lo primero en desaparecer fue el aeropuerto. Su pista, casi de circo, fue, más que engullida, paladeada por una tierra devoradora y terrible. Durante algunos meses vimos —cosas de la querencia— al avioncito (casi un tranvía aéreo) volar desconcertado sobre la ciudad, como si le pareciera imposible haber perdido su lugar en el suelo. La memoria asocia el avión con las golondrinas que tampoco han vuelto.

A veces, al oír crujir las casas de los arrabales ante el empuje de las rocas, el sueño se interrumpe. Ver allí abajo la ciudad iluminada, tranquiliza. Los amaneceres son más agrios, el cielo parece reducirse y la ausencia de aves sobrecoge.

Todo —dicen— acaba en fósil. Mas los que aún guardamos el recuerdo de sus calles asociado a una infancia hecha nostalgia, conservamos la esperanza de que algo pueda salvarse, al menos mientras la ficción se sostenga y las luces titilen en las madrugadas de frío y desasosiego. Sabemos que es falso, que las luces nada tienen que ver con la soledad de esas casas, pero verlas ahí, al borde mismo del sueño, realmente consuela.

EL AMANTE ABSORTO

De pronto, y cuando el beso rozaba el final de la noche, sintió que la voz del amante se le quedaba escondida en su dentro, allí donde se ocultan las palabras tímidas e indecisas. Quiso toser, devolver inmediatamente aquella voz que tanto quería, y que, fuera de su dueño, apenas importaba. El amante, absorto en el beso, ignoraba la huida. Ella, cada vez más nerviosa, carraspeó, fingió arcadas, hizo lo imposible por devolver la voz antes de que él pudiera advertirlo.

—Qué clase de distracción —se preguntaba— ha dado lugar a que me trague la voz de un amante tan ardoroso en verbos y adjetivos.

Amanecía lentamente. Un amanecer distante y nebuloso como la calada de un cigarro que quisiera hacerse nube, y el muchacho una vez más parecía consumirse en una pasión que tanto le complacía. Pero ella, obsesionada con el accidente, no podía entregarse: Qué hará —se interrogaba— cuando descubra su enmudecimiento. Nunca lo supo. Él se vistió despacio como si estuviera desnudándose, como si esperase nuevamente el principio. Ante la aparente frialdad de ella se arregló el cabello y la miró una vez más con el poder de un silencio aceptado, un silencio que desconocía ser la única alternativa a la expresión, y salió rápido.

Nunca más se vieron.

Cuando supe esta historia olvidé hacer una pregunta: ¿Y la voz, qué hizo ella con la que se había quedado para siempre?

EL IMAGINATIVO

—Quizá —me dijo— imagino porque no sueño. De niño —había decidido contarme su vida— sentía vergüenza ante los otros niños del colegio al no tener sueños que ofrecerles. Tenía canicas, las más luminosas canicas de toda la clase, canicas que eran como fósiles de agua, como aire solidificado; y también tenía los pantalones de pana más hermosos de todos los pantalones de la ciudad. Solía decirles a mis compañeros que no eran de pana, que estaban hechos con la piel de un puma que mi padre había cazado para mí una noche en el tejado de la casa. Y también tenía una jaula repleta de moscas verdes, casi metálicas, que vendía en las clases de latín cuando las declinaciones (siempre las mismas) se ponían insufribles. Pero pese a toda aquella magnificencia, envidiada por los demás alumnos, no tenía sueños y, debo reconocerlo, esta carencia me hacía sufrir de tal modo que corría peligro de convertirme en un muchachito huraño; así que, para que nadie descubriera mi tragedia, no me quedó otro remedio que inventarlos. Creo que instalé en la imaginación una cadena industrial de fabricar y envasar sueños, todos diferentes, y uno para cada noche.

—Nunca se lo he dicho a nadie —me aseguró no sin cierta complacencia dramática— pero en este oficio de creador de sueños acabé por dejar de dormir. Soy —concluyó feliz de sorprenderme— un insomne millonario en sueños. Como si, conmovido por su propia teatralidad, estuviese a punto de emocionarse, me contó, adelantando los acontecimientos, el sueño que a la mañana siguiente les narraría a sus antiguos compañeros, jubilados hoy, pero tan adictos a sus historias que no dejaban de reunirse con él ni un solo día.

Por mi parte, le propuse que se dedicara al cine. Con el mismo esfuerzo y energía que aplicaba en inventar sueños, podría crear un imperio cinematográfico. Pero él, que era poco práctico, no quiso escucharme. Cerró los ojos, y supe que ya estaba en plena producción onírica.

EL LABERINTO

Pese a la apariencia no era una casa de huéspedes. El hombre rellenaba tranquilo el libro de entrada. Fue el recepcionista quien le dijo una y otra vez los inconvenientes que había en mirar al pájaro que vuela a todas horas:

—No es un pájaro —aclaró—, es sólo el reflejo de un vuelo, la huella de un ave pertinaz, la ilusión creada por un alado prófugo.

Luego quedó solo ante el pasillo interminable. A derecha e izquierda se alineaban las habitaciones, y él, sintiéndose confuso, pidió ayuda. Fue entonces cuando conoció al Niño Filosófico, un muchachito de pocas palabras y mucha intuición. Uno a uno le fue mostrando los cuartos. Lo hacía el Niño consciente del equívoco que provocaba en el visitante, pues estaban todos ocupados. De esta forma le fue posible al hombre contemplar a la mujer que vive en una bañera, una criatura a la que se le ha concedido el sueño permanente del mar; también pudo ver a Penélope abandonada, el reverso de la fidelidad, la otra posibilidad de la leyenda; y supo del Minotauro blando, pues siendo el toro origen en parte de la naturaleza de este ser, en este caso el buey lo sustituye.

—Se trata —explicó el muchacho— de una criatura dolorosa y herbívora, de un mito asustadizo que rechaza la sangre. Por ello desprecia cuantas víctimas se le ofrecen.

Y entre bromas y veras le dio al visitante un empujón hacia el falso Minotauro, que brincó asustado.

Iban a mitad del pasillo cuando el nuevo huésped se extrañó de hallarse ante un grupo de gente desnuda que se apretujaba frente a una salida de emergencia:

—Se trata —volvió a explicar el joven cicerone— de los últimos de la *Anábasis*, extras de la literatura que intenta repetirse.

Y cuando todo parecía más claro, el corredor se hizo río. Al fondo, no obstante, una puerta soportaba el peso o la fragilidad del número Uno:

—No entre, no entre —le advirtió temeroso su acompañante, hasta ese momento siempre decidido—; no entre, huya conmigo.

Mas el recién llegado, que amaba lo que hay tras cualquier tipo de curiosidad (aunque su sabor fuera amargo), llamó quedo a la puerta, y esperó:

—Quizá —dijo— al fin me encuentre ante la fuente del espejo: el delirio de las cosas reales.

EL CONDENADO

Tuvo por justos a los hombres que le condenaban, y creyó en ellos. Incluso le pareció razonable, proporcional y digna la pena que se le imponía: La muerte —pensó— es un precio como otro cualquiera, y aceptó satisfacer, con su vida, una deuda social, un crimen espantoso. El médico que le visitaba en la celda lo encontró sobreexcitado, emocional y demasiado dispuesto a un arrepentimiento que forzosamente debería acarrear su destrucción. Más allá de la culpa no había horizonte para él. Era muy joven y no tenía más experiencia importante que su crimen, ni más historial que un amontonamiento de desdichas que, contadas, hubieran construido un triste ejemplo de demagogia. Ningún filósofo honrado hubiera soportado tantos detalles de adversidad e infortunio. Próxima ya la ejecución, idealizó la figura del verdugo: Si él es quien administra la Justicia que merezco, forzosamente deberá ser santo.

Cuando se le hizo la pregunta de costumbre, que expresara su último deseo, un mundo imaginal hasta ese instante desconocido se le echó encima, y, con voz primeriza, el muchacho pidió volar. No de manera extraordinaria o prodigiosa, sólo volar, como vuela un piloto. Conocer las alturas, sentirse por un instante próximo y pariente de las nubes, pensarse pájaro, algo parecido a ser libre. Mas la oferta de sus jueces no preveía el vuelo, tan próximo y tan esencial para aquellos que se sienten libres. Y fue preciso proceder de inmediato y ejecutarle sin la cortesía de satisfacer un deseo imposible.

MI TÍO EL LEVITADOR

A M.ª Jesús Alonso

Siendo muy niño acompañaba a mi tío el levitador de pueblo en pueblo, de plaza en plaza. Mientras él levitaba (un ejercicio poco frecuente), me contentaba con verlo ascender en el brillo de mis canicas que eran como ojos, como miradas transparentes deslizándose por las gastadas piedras de las plazas.

Mi tío era respetuoso y nunca ascendía más alto que el vértice de las torres y agujas de las catedrales, y por eso era muy querido por su público, y también por otros levitadores. Eso sí, ya en el aire, le gustaba rebuscar en sus bolsillos las migajas de pan que las palomas cogían al vuelo. A veces, envuelto como iba en los aleteos de las palomas, la gente lo confundía con un aeróstato, y a él no le molestaba el equívoco.

Y cuando se cansaba de jugar con las aves, se quedaba quieto y suspendido (siempre ingrávido), y recitaba viejos poemas, especialmente sonetos que remozaba añadiéndoles algunas sílabas o simplemente dándoles un poco de color. Otras veces se limitaba a hacer malabarismos. En estas ocasiones era muy agradable verle a contraluz. Parecía una sombra insensata y loca que se hubiera escapado de un cuerpo para cazar pavesas en el aire.

Mi tío quería que yo también levitara, pero sólo conseguía que me hiciera hematomas y chichones, y tuvimos que dejarlo, pues vino la guerra y cuando acabó éramos muy pobres, y mi tío, allí en las alturas, se vio precisado —para alimentarse y alimentarme— a anunciar raros productos de ninguna eficacia. Fue —insisto— una época triste; todavía recuerdo cuando, para hacer más rentable el negocio, compró una batería y, ascendiendo con ella, anunciaba medias preciosas de cristal, medias invisibles como el hombre invisible, que en plena noche resplandecían con un éxito ni siquiera logrado por el cine.

Cuando de nuevo las cosas volvieron a su sitio, y la guerra se quedó en un renglón en el libro de la escuela, mi tío dejó de levitar y volvimos al campo a trabajar la tierra; y aun en un oficio tan sencillo conseguía, de forma natural, que en los surcos labrados por los bueyes, en vez de amapolas nacieran espontáneos heliotropos y fucsias de rarísimas tonalidades; y mi tío, que no quería complicarse la existencia, hacía como si no los viera.

Nunca volvió a levitar de día. De noche no lo sé: mi tío era sonámbulo, y yo tenía un sueño muy profundo.

En el punto más alto de mi habitación, he puesto un retrato suyo, y aún sueño que levita.

SANTA APARECIDA
DEL MAR

—Vengan, vengan —gritaban las voces de los pescadores llamando a los veraneantes—, esta tarde actúa Santa Aparecida del Mar. Y desde la carretera que trepa los acantilados, vi, abajo en la playa, a la gente haciendo corro alrededor de algo que no llegué a distinguir. Había no sólo pescadores, sino también turistas americanos con sus plásticos y sus máquinas (perros amaestrados) de fotografiar.

Una figura pareció moverse en el centro del corro (y recordé las tardes en Benalmádena cuando era fácil localizar a Vitín Cortezo y su perro *Antinoo*, porque eran el eje de cuantas palabras se decían frente al Mediterráneo). Sí, se movía. Tuve la impresión de que iban a alzar un globo, mas de pronto la visión se hizo evidente, y Santa Aparecida ascendió, intensa y azul, al cielo último de agosto. Subía con la sonrisa de

los domingos y el sombrerito trenzado de amapolas (el mismo conjunto con el que la había
visto posar en casa de mi amigo el pintor, aquel
que no quería ser surrealista, sólo mágico, sólo
eso). La música de un organillo la acompañaba
en su ascensión. Los turistas y los pescadores
aplaudían, y yo recordé que otoño estaba ya
muy próximo: una estación impropia para pro-
digios y dispersiones. En otoño, Santa Aparecida pasaría las tardes junto al fuego, quejándose
de las impertinencias del reúma, y ella y yo ha-
blaríamos del mar visto desde el recuerdo, y
también pensaríamos en el próximo verano.

LA BODA

Cuando el Bey de Marrakech y de los palmerales de Marrakech, León del Atlas, Príncipe de las geodas teñidas de lila y amatista, descendiente de Almanzor el Saidí, vivo fuego de un meteorito añorante de las tierras del Reino de Marruecos, contra toda idea de lo conveniente y de la imagen propia de los que ostentan el poder, contrajo, por decidida vocación senil, matrimonio con el más joven de sus eunucos, el Embajador del Mikado (un reino solar y divino) envió como presente la seda necesaria para el caftán que habría de cubrir la infantil figura de un muchacho incompleto. Seda elaborada por el esfuerzo de un millón de gusanos pigmeos, alimentados con las hojas de cien mil moreras bonsáis.

A fin de no escandalizar a las autoridades del Protectorado, ni disgustar al Obispo franciscano de Tánger, se dispuso que el novio luciera un velo nupcial de diseño europeo, copiado del boceto que Dior tenía reservado para la novia de una boda monegasca de juguete y cinematografía. El rostro, por mínima exigencia viril del eunuco niño, debería quedar descubierto, así, la tez pálida del muchacho, su confusa belleza, llamarían poderosamente la atención de un Cuerpo Diplomático aburrido de ver tanta mascarilla de algodón en los zocos del Reino. En los labios del novio, la habilidad de un orfebre judío había depositado el vuelo de una mariposa celeste, y todo ello como homenaje a quien, recluso en un harén analfabeto y cursi, se proclamaba lector apasionado de *El Elogio de las Sombras*.

Nada fue en esta ceremonia como debiera ser en una boda. Al pronunciar el sí de la entrega, el joven vertió lágrimas al vacío de su imposibilidad amorosa, y ello pese a que el Bey, dispuesto a que nada fuera en extremo clamoroso, había ordenado que los vinos que se sirvieran —tintos de ardiente paladar nacidos de las cepas de los más lejanos oasis— fueran previamente decolorados para que, de este modo, nada pudiera evocar el poder de la sangre. Y que el coro que debería cantar el *Centón* de Ausonio lo formara un grupo de niños sordomudos instruidos en las señas representativas del extenso poema. También los lirios y las demás flores dispuestas en adorno de la única mezquita gótica del Islam fueron privadas de estambres. Así, ningún agravio hallaría un joven tan bello y suspicaz.

Y un derviche giró y giró hasta que el Bey y su eunuco dorado mezclaron sus lágrimas y su cansancio. Y una luna empolvada de blanco alumbró el sueño sin caballos ni tigres de los protagonistas de esta historia. Esa noche hubo llantos y suicidios en el harén, y todo, al poco tiempo, fue dicho con palabras de tinta y emoción en el *Vogue* y el *Hola*, y hasta una millonaria de California pretendió, sin lograrlo, conocer a la noble pareja.

ELLOS

Especialistas para unos, depredadores para otros, lo cierto es que el profesor Freedman, el desaparecido en las urbes europeas (no sólo los exploradores se pierden y encuentran en África) se limita a llamarlos cazadores de gritos.

Para entender la función de esta gente hay que tener un sentido humano y a la vez escolástico de lo que es y significa el grito. Ninguna definición al uso es aceptada por aquellos que en la oscuridad de las vastas ciudades se lanzan a la captura de una nueva presa. Para éstos, el grito es en sí mismo una unidad vitalísima, independiente en todo de quien lo da.

Alguien que se declara conocedor del tema me advierte: Nadie da el grito, el grito es una conquista para quien lo provoca.

De manera muy complicada llego a conocer a un componente del grupo. Se trata de un sujeto de tez blanca y mirada oceánica. La conversación es profunda y versa exclusivamente sobre el tema. Una charla obsesiva:

—El grito no muere —me dice confidente—. En las noches —asegura— algunos gritos se cuelgan en los aleros de los viejos inmuebles como lo hacen los murciélagos. Así esperan el alba. Con ella vendrá la progresión infinita de sus ondas.

Dicho esto calla. Su silencio es una provocación. Sé que espera de mí en este mismo instante un grito que me niego a concederle.

Poco a poco me he convertido en un experto en gritos. Debo reconocer en mi favor la tenacidad puesta en el asunto. Vivo en una constante hipersensibilidad, y temo crearlos yo mismo.

Al fin consigo una entrevista con el profesor Freedman. Su mirada también es oceánica, y su perfil (lo recuerdo de perfil) agudo. Tratamos libremente del tema que a ambos nos preocupa. Él lo hace con tranquilidad, de vuelta se diría; yo, angustiado:

—Sus víctimas —susurra— guardan un recuerdo terrible de estas gentes. Les agotan toda posibilidad de expresión. No sólo se apropian de éste o de aquel grito, sino que su avidez se extiende a lo futuro, a los aún no proferidos. Entiéndame —busca una imagen explicativa— llegan a practicar una especie de castración del grito. Nunca más la presa volverá a gritar. Lo aseguro: he sido una de sus víctimas —concluye, confesando una experiencia que intuía. Y para demostrarlo abre la boca, hace un esfuerzo terrible, y en vez del grito, el silencio lo ocupa todo.

EL MUCHACHO AMARILLO

Aguardando en lista de correos un extraño paquete, descubro junto a mí a un joven chino.

Nacidos del marfil, los muchachos orientales tienen sueños de pájaros; y este que el azar ha puesto a mi lado, debe tener pensamientos de seda. Qué espera, me pregunto curioso en tanto la imaginación me sugiere un envío de humo, y la memoria recupera un instante de mi infancia cuando en las mañanas del verano un joven chino, un hijo del exilio, se hacía transportar hasta la orilla del Mediterráneo en un palanquín.

Era una gota de sangre entre tanto Sorolla. Un preceptor solía dibujar extraños ideogramas junto a él, en tanto que un eunuco le arreglaba los pliegues de su túnica, en cuyos hilos, la historia había bordado la saga de su familia que era la misma Historia.

En ocasiones lo veía mirar con indiferencia

aparente el burdo armazón de las cometas occidentales. Un día, quizá como respuesta, la servidumbre soltó un vuelo de palomas que en el aire se convirtieron en fuegos de artificio. También lanzaron con cerbatanas muy finas pequeños paracaídas que al descender cubrieron la arena con luces de colores.

Sólo le vi conmoverse cuando la anciana nodriza le dejaba jugar con un pequinés al que todas las mañanas —con grave escándalo de los veraneantes— una peluquera local retocaba su teñido, un malva muy intenso. Se comentaba de la inteligencia de este perro, de su carácter sagrado y de las cualidades adivinatorias que le adornaban.

Nunca el extraño muchacho entró en el mar. Se contentaba con derramar en las aguas pigmentos de tonos suaves, y esperaba ver dibujarse en las olas dragones y quimeras.

Lo odiábamos con ternura, con rabia y con ternura, o quizá sólo con rabia, hasta que una tarde, ya inicio del otoño, estando la playa sola, el muchacho se alzó de su pedestal, y haciendo un gesto al eunuco, éste (indiferente al poder de la belleza corporal, ajeno a las caricias y al deseo) se apresuró a desnudarle. Libre de toda vestidura, era como una flor pendiente en su rareza de recibir el nombre de un botánico; y también era como la gota que resbala en el espejo tras la ducha. Sólo yo fui testigo de tamaña osadía, y me conmoví, no por la gracia esquemática de su cuerpo, ni porque un tatuaje (unos versos que él mismo tradujo) orlase sus pezones de niño, ni siquiera por la desnudez de su pubis adornado con una cinta púrpura, sino por la manera que tuvo de entrar en el Mediterráneo. Lo hizo como si quisiera devolverle a Venus el cumplido por nacer de la espuma del mar.

Días después lo vi partir en una caravana de coches lujosísimos. Nunca más supe de él, hasta que, pasado el tiempo, alguien en París, una noche perdida hablando de las cosas que se adornan de polen y rompen las costumbres y duelen y son inmemoriales, me explicó cómo una carta envenenada acabó con la vida de este joven.

EL ASESINO

El asesino se mostró extrañamente gentil conmigo. Aún tenía las manos manchadas de sangre y no hacía nada para disimular las huellas de su inmundo delito. Decididamente estaba dispuesto a ser en extremo gentil:

—Me recuerda usted —dijo— a alguien muy querido. —Y lo dijo como si hubiera sufrido una revelación. Después guardó silencio. Así estuvo hasta el atardecer. Debo confesar que su presencia no me intimidaba; es más, me resultaba simpática su deferencia, y también su buena educación.

No es fácil encontrar —pensé— a un asesino que sepa manejarse con la cubertería de pescado (instintivamente, en mi obsesión de traducir la realidad a símiles y metáforas, había rechazado los cuchillos de la carne y todo cuanto a ella concierne). Al anochecer, encendida la luz eléctrica, me miró como si hubiera salido de una prueba en extremo ardua, me insistió no sin cierta ternura:

—Quizá —suplicó— le gustaría jugar con estas cosas. Y señalaba las piezas del delito. Y lo hacía del mismo modo que un niño enseña a sus amigos la rotundidad de sus canicas.

Y tal vez porque en esa época me hallaba muy solo, o porque su delicadeza empezaba a apretarme allí donde el afecto se asoma pocas veces, me mostré interesado, y supe, como una premonición, que pronto sería su cómplice.

En pocas ocasiones he odiado tanto como odié aquel día al agente que vino a interrumpir una visita que le parecía ya en extremo prolongada. Supe que volvería, que mi obligación era recoger una a una las lecciones que aquel ser extraordinario estaba dispuesto a confiarme, y quise y fui un alumno aplicado.

EL MINOTAURO

El Minotauro amaneció sin ganas de moverse.

Tenía el monstruo una exacta conciencia de su destino, y eso le exasperaba: Ser la solución de un laberinto no es agradable, se decía con frecuencia.

El Minotauro era un soñador de todo aquello que tuviera una clara entrada y una inequívoca salida. Lo demás, especialmente lo laberíntico, le aburría. Sentado en el centro de aquella construcción, coceaba impaciente con su negra pezuña.

Los hombres son muy simples —pensaba—, no conocen otro destino que el morir. Y aunque él les daba la muerte, creía obrar en beneficio y complacencia de cuantos entraban en el dédalo.

En una ocasión se emocionó: había descubierto luminosidades azules en una mirada; pero él ignoraba que fuera el mar, y más aún, que fuera un navegante. Después, los ojos súbitamente se apagaron.

En casi todas las miradas había miedo, y el Minotauro, que desconocía su origen y naturaleza, se pensaba inmortal.

Sentado en la butaca de enea, echaba de menos cosas imprecisas. Estaba seguro de la existencia de algo que no llegaba a definir pero que, sin embargo, añoraba ardientemente.

Nada le aburría tanto como las doncellas, un tributo escurridizo y miedoso en constante fuga atropellada por aquella prisión. Nunca le dejaban que acariciara el tornasol de sus cabelleras.

Las devoraba, y lo hacía con impiedad.

Estaba cansado, muy cansado:

—¿Huyen de mí o huyo de ellos? —se preguntaba estrenando una angustia impropia de un mito.

Siempre los días amanecían iguales. Nada les otorgaba un carácter especial. Sólo algunas noches, como una insistencia, volvía a ver los ojos en los que el azul era una inmensidad diferente del cielo.

Y el Minotauro soñaba cada primavera con otro Minotauro.

EL VISITANTE

Era la que vive con un ángel, un ángel prófugo y secreto, un ángel avergonzado por la comisión de una torpeza histórica. Aquella criatura celeste en un momento de negligencia, sorprendida tal vez por el vuelo de una estrella fugaz, había abandonado a su hombre cuando éste cruzaba imprudentemente una calle. Aún recordaba el terrible ruido, el golpe y el oh pavoroso de otros ángeles, testigos secretos de su imprudencia. Durante seis meses llevó las alas teñidas de negro, y nadie le vio sonreír; tampoco acudió más a los ensayos de los coros angélicos, y se dedicó a vagar entre nubes aborregadas y dispersas. Al fin un día se decidió por aquella casa. Fue una decisión voluntaria pero en la que había mucho de la resignación de los exiliados.

Al principio ella lo trató como a un huésped cualquiera, incluso fingió no fijarse en las alas, ignorar su condición. Más tarde, resuelto el misterio entre ambos, para hacerlo más suyo le propuso amputarle las alas, así tendría no al ángel, sino al hombre que tanto deseaba. Pero él se negó.

Nunca se supo qué clase de relación unía a una muchacha melancólica y a un ángel tan hermoso. A veces, él permanecía indolente en el lecho, una cama blanquísima adornada de encajes y grandes iniciales, bebiendo cerveza y hojeando viejos periódicos de crujir amarillo (eran muchas las cosas que debía conocer); otras, acurrucados el uno junto al otro, se sorprendían frente al televisor con la inteligencia de quienes suelen acudir a los concursos televisivos. Ella se limitaba en mitad de la noche a peinarle las plumas de las alas inmensas, y él bostezaba a gusto como si empezara a olvidar un asunto imprudente. Y en agosto, en las cálidas noches de agosto, subían abrazados a una terraza diminuta, y allí, él, con voz pausada le iba explicando la geografía angélica de los mundos distantes.

LA BUHARDILLA

A base de esfuerzo y ahorro habían conseguido un mar en la buhardilla. Sólo los domingos lo visitaban, el resto de los días debían contentarse con oírlo bramar. En ocasiones, una mancha extensa y salina de humedad en el techo del salón delataba la existencia de un secreto compartido por todos los de la casa.

—Cuando consigamos nuevos ahorros —decían— compraremos gaviotas y peces voladores.

Y es que trataban a aquel mar casero como si fuera un árbol de Navidad hambriento de sorpresas. Pero nunca pensaron en subirle la maqueta, deslucida, de un transatlántico varado durante décadas en el mostrador de la agencia de viajes de un antiguo huésped:

—Con los barcos llegan los naufragios —advertían precavidos.

Sufrían privaciones con tal de mantener viva y palpitante aquella ilusión, pero no se quejaban:

—Un mar —decían— debe ser parte del destino de los hombres.

De vez en cuando abrían la puerta de la buhardilla, y lo miraban y también lo olían, cuidando siempre de que las olas no acabaran escaleras abajo. Pero sobre todas las cosas lo soñaban, y cada amanecer se intercambiaban sus sueños nunca repetidos.

Y si alguno sufría de insomnio, se dedicaba a hojear catálogos de aves marinas, pensando cuáles de ellas irían mejor en los amaneceres de aquel mar cautivo. El albatros, quedaba eliminado a la primera: Excesivo —aseguraban— para un mar tan pequeño. Y volvían a remirar en los catálogos por si encontraban una especie de colibrí marino.

Sólo uno de ellos, proclive a las alarmas y a invocar infortunios, les prevenía:

—Cuidado, mucho cuidado —susurraba— pues de estar tanto tiempo encerrado es fácil que acabe por convertirse en un mar pálido, un mar de escaso azul y mucha ojera.

Entonces, subían todos, y, ante las aguas contenidas, derramaban unas cucharadas de tinta estilográfica. Y el mar azuleaba agradecido, salpicando con su espuma las paredes tapizadas de la vieja buhardilla.

EL DIVÁN DE LA MAGIA

Conocí y traté en mis años de bohemia y circo a la mujer decapitada, más conocida como la Cabeza Parlante. Era una muchacha (dos trozos de una misma muchacha) tímida y excesivamente maternal con su cabeza, a la que mimaba, y que nunca, por temor a perder su trabajo en el circo, intentaba ponerse. La miraba, eso sí, desde la herida abierta de su cuello rojizo, que ella disimulaba con una sarta de perlas orientales, como otras mujeres admiran sus más hermosos sombreros. La arreglaba y acariciaba, pero nunca se atrevía a colocarla sobre sus hombros. En los días de añoranza se limitaba a contemplar una foto trucada en la que ella aparecía completa en su figura. Eran días también de extrema feminidad en los que lloraba un vendaval de lágrimas.

No sé bien si mis predilecciones adolescentes fueron para la cabeza o el tronco (me temo lo peor). De ambas partes guardo un recuerdo feliz. Eran dulces y sencillas, parlanchina una, callada y profunda la otra, y es justo reconocerlo, ambas fueron explotadas en el circo.

EL CIPRÉS SUMISO

No es fácil amaestrar un ciprés. Se exigen conocimientos tántricos, algunas nociones de geometría, voluntad vertical y una buena disposición para la música. Ella, no muy culta, suplía todas esas condiciones con una voluntad férrea, y se la podía ver ir de una a otra parte seguida por la rectitud escandalosa de un ciprés sumiso.

La mujer se sentía como una domadora de panteras, y le extrañaba que en ningún circo quisieran contratarla. Le decían que amaestrar cipreses es cosa artesanal y sin peligro, y que el público gusta (aunque no lo reconozca) de tigres sanguinarios y panteras.

—Cómo —se preguntaba— puedo amortizar los esfuerzos empleados en hacer de esta línea verde (empezaba a tratarlo con desprecio) algo útil y rentable.

Y quiso aplicarlo a diversos oficios.

Como hacedor de sombras fue un fracaso.

Apenas un hilillo gris y rastrero señalaba su presencia en la calle:

—Sólo un ofidio podrá cobijarse bajo él —dijo un gracioso, nada comprensivo en cosas de cipreses. Peor fue aún el intento de convertirlo en pararrayos de la vieja iglesia. No se estaba quieto. Bastaba que en el cielo reventase una tormenta para que corriera de uno a otro lado.

Un día, la mujer decidió desprenderse de un árbol tan estúpido, y, tirándole una piedra, le hizo correr monte abajo. Y se sintió tranquila. Le gustaba la idea de que por fin tuviera una ocupación, aunque fuera la de ciprés asilvestrado. Y cuando ya en su casa, libre de absurdos proyectos y complicaciones, se disponía al sueño, oyó el rumor del ciprés en el jardín. Era un vibrar lastimoso que le hizo conmoverse, y, arropándose en el lecho tibio y familiar, se dijo a sí misma: Tan alto y desgarbado, tan vertical y poco práctico, temo que tenga la copa helada. Y no pudo dormir.

EL TELEGRAMA

Un sueño mortecino entretenía las horas, y en las manos, escurridizo, cada vez pesaba menos el cuerpo del ausente.

—Hay telegramas pérfidos —sentenció una de las tías cuando en el año 42 alguien trajo la noticia de que el muchacho, el pretendiente, había perecido en el Pacífico—. Un océano de mucha prosapia —se atrevió, impertinente, otro cuya identidad es difícil hoy de determinar, pues en el momento de la frase estaba fuera del campo que a la memoria le es dado retener.

El padre de la prometida, culto e irónico, incapaz de contener su inclinación por las frases hechas, se apresuró a decir, señalando al tímido empleado de telégrafos:

—En estas ocasiones, lo propio es dar muerte al mensajero.

Las palabras hicieron huir prontamente al joven.

Ella sí, ella lloró seguido e inmediato, y heredera biológica del afán paterno por las frases, pronunció la suya:

—¿Y ahora qué hago con mis labios?

Muy reciente el suceso, si la nostalgia era muy intensa, gustaba de ponerse la falda que una madrugada hubo de lavar tras un baile hecho de precipitaciones y leve luz.

Sólo, pasados los años, la pasión por el ausente fue sustituida por otras curiosidades. Nunca confesó a nadie que en sus sueños, el tiburón que persigue a los jóvenes románticos y a los marinos inexpertos, la buscaba a ella de forma indecorosa. Y también ocultó que, precisamente este sueño, era la mejor parte de su existencia.

EL TREN

Nunca tuvo una clara conciencia de por qué había tomado aquel tren. No recordaba el principio del viaje, la estación a la que sin duda adornarían, como a todas las estaciones, un sinfín de referencias literarias: los poemas en los que un autor anónimo alza la mano trazando en el aire el dibujo de un abrazo imposible; el dolor compartido; la extraña metáfora del llegar; la obsesiva costumbre de esperar a quien no desea ser esperado; los sencillos colores de la añoranza. En verdad, había olvidado el inicio del viaje.

Intentaba recordar la silueta del tren. Le gustaría rescatarla del olvido, no tener que contentarse con los croquis y diseños que la compañía ferroviaria colocaba en los pasillos para dar la sensación de estar en estas cosas al día.

Frecuentemente se cruzaban con otros trenes. Entonces oía los silbidos como una alarma, como una queja perdiéndose en la noche. Y distinguía una luz cenicienta en sus vagones vacíos.

Le gustaba la dimensión del tren, el nerviosismo visual de los paisajes a su paso. Se diría que era siempre el mismo paisaje, un paisaje loco.

Para matar la soledad —se había dado cuenta tardíamente de que él era no sólo el único pasajero de aquel tren, sino de todos los trenes— se levantaba y ordenaba una y otra vez el equipaje de mano (tenía, aun en aquellas circunstancias, la obsesión del orden). También acudía con frecuencia al vagón restaurante. Allí le parecía escuchar las voces de otros pasajeros. Cuantas veces lo hacía, una copa recién escanciada le estaba esperando.

Y cuando, tras ir y venir a aquel vagón, su ansiedad disminuía, y el alcohol lo llevaba por las paralelas irreales del optimismo, soñaba vehemente que la estación estaba próxima, y las lágrimas le bañaban el sueño, pues, aun dormido, sabía que el despertar sería amargo, y que con la resaca llegaría la certeza de que ninguna estación era la suya.

EL INTENTO

En un ambiente de ángulos y costumbres occidentales, el Almirante hablaba pausado. Las metáforas, insistentes, se diría codificadas al gusto de una cultura muy especial, se repetían sin pudor alguno. Había abandonado su uniforme bordado con símbolos áureos que representaban las variaciones imaginables del sol, y vestía un amplio quimono de seda negra (sólo él sabía que los gusanos hacedores del quimono también eran negros). Era como si un mar nocturno —no se buscaba otro significado— se empeñara en protegerle. En la espalda del vestido rampaba amenazante una quimera:

—Es —me explicó— copia de la que llevo tatuada en el pecho, que a su vez reproduce la del quimono de un emperador de una dinastía que la Historia ha olvidado.

Y para distraer la atención de aquellos que debían entender lo que tan minuciosamente iba

narrando, liberó de una pequeña caja una go-
londrina cuyo vuelo primaveral —estábamos
en otoño— se encendía en fulgores celestes.

(Fuera de toda liturgia, las agencias informa-
tivas y los periódicos estaban pendientes de
este encuentro para escribir con su resultado
los titulares de la prensa.)

—La realidad me sofoca —exclamó con
inexplicable sinceridad. Y, tal si se hubiese des-
hecho de una pesada carga, volvió al ejercicio
de impedir la concentración sobre cosa alguna.

Frente a nosotros, un tiempo nuevo decidía
sus maneras, y las naves, acero y modernidad,
enfilaban las costas de su país.

Me sentí cansado y deseoso de acabar con
aquel asunto. Le ofrecí nuevamente la copia del
convenio, le sugerí las cláusulas que quizá pudieran modificarse, mas él volvió a interrum-
pirme:

—No se me oculta —dijo— lo que intenta explicarme, mas en modo alguno debo entrar en
una discusión tan práctica. Sólo el brillo y lo su-
perfluo nos dan medida, por comparación, del
hecho trágico de la existencia. Las palabras duelen y las voces sangran, y yo debo —antes de ce-
der a sus pretensiones, que son convincentes y
quizá útiles— desvanecerme tras un biombo.

Y así fue. Nada, salvo la barroca construcción de su discurso, quedó de la entrevista.

A las pocas horas, rechazado todo armisticio, la armada lentamente ocupó el lugar que los mapas conceden a los océanos beligerantes. Y vino, no sin quererlo él, la confusión. Y la guerra.

EL AULLIDO

Estaban sentados frente a frente, y, para mantenerse distanciados y ajenos, hacían solitarios. En la calle, la urgencia del ir y venir de los coches se reducía a un rumor:

—Tan distinto al de las olas —murmuró uno de los hombres abandonando por un instante el solitario. El otro besó el As de Corazones. Indudablemente era un emocional histérico, y ya más tranquilo volvió a sumirse en la tristeza de los naipes. Fue en ese instante cuando la perra aulló. Aulló largo y despacio, desesperada e incansablemente. Los hombres dejaron las cartas en el verde sin vida del tapete. La muchacha, rigurosamente vestida de uniforme, entró trayendo una bandeja. En ella todo estaba dispuesto para el vértigo del martini. Antes de retirarse comentó—: Le han matado los cachorros; no es bueno tanto animal bastardo en esta casa.

Oscureció como oscurece en las películas de Peter Greenaway, es decir, de una manera artificial, casi plástico, y la perra siguió aullando. De pronto, a uno de los gritos, la luna del espejo que reflejaba la soledad de aquellos hombres se abrió. El cristal no había soportado la fuerza del aullido. Luego, la herida del espejo manó sangre. Uno de los jugadores quiso tocarla, sentir en el tacto el dolor de aquel rojo. El otro, sin mirarlo, lo retuvo: —No la toques —le dijo—, ¿no te has dado cuenta de que es sangre de perro? Sólo eso.

CUANDO HUYEN
LAS GAVIOTAS

En ella había estrenado las primeras palabras que tienen que ver con el amor. Años más tarde me diría: Míralas, aún las guardo. Después, las cosas se hicieron costumbre y ya sólo la recordaría los días singulares, aquellos que traen la lluvia y son maestros en añoranza. También la recordaba cuando las gaviotas huían de los acantilados para refugiarse en la espesura de lo interior.

Los años habían tomado la curva del olvido, incluso rebasándola, cuando me hablaron de ella. Resultaba extraño a mi interlocutor que yo hubiera mantenido una relación tan viva con una muchacha tan especial:

—Entonces no lo era —exclamé sorprendido. Y así supe que había ido palideciendo con los años hasta ser la hermosa criatura que su familia sacaba a pasear en medio de grandes precauciones.

—Dicen —continuó mi confidente— que es toda de azúcar: un extraño caso de transformación de la carne. Es blanca y de azúcar.

—¿Y sus palabras, cómo son sus palabras? —volví a preguntar.

—Oh, no tiene —se apresuró a responderme—, ya no tiene palabras; a veces, si se le insiste, abre una caja de pastillas para la tos y exhibe sus tristes sílabas que son fáciles de confundir con cromos y pétalos de rosas. Pero —subrayó— ya no tiene palabras.

EL HIPOPÓTAMO

Había encontrado (gangas del azar) al hipopótamo en la calle. Llovía desordenadamente, y a la niña debió gustarle el brillo acharolado de aquel cachorro que era como una formidable cómoda holandesa, y con carantoñas y mimos, usando de señuelo el ramillete de flores que llevaba en la solapa, logró persuadir al perezoso e inmenso paquidermo para que la siguiera; y no sin alguna dificultad lo subió a la casa.

Los abuelos, acostumbrados al mal carácter y capricho de la niña, nada dijeron de tan particular invitado (aquella noche, con ánimo conciliador, leerían en un diccionario zoológico todo lo referente a este mamífero, no sin cierto recato ante la agresividad de la palabra mamífero), y, con cuidado, apartaron los viejos muebles de la sala y le hicieron sitio (casi todo el espacio que ocupa en extensión la palabra sitio). Durante muchos años lo tuvieron oculto tal si se tratara de un prófugo en tiempo de guerra (en verdad sentían vergüenza de que los vecinos pudieran descubrir la relación del hipopótamo y su nieta, que no llegaban a aceptar del todo).

Así, niña y animal fueron creciendo, haciéndose adultos secretamente. Sólo de noche, el ruido del ascensor, incansable en la tarea de subir brazadas de hierba y tréboles, hacía sospechar a algunos vecinos que en aquella casa algo raro sucedía.

Agotados por una convivencia tan ardua murieron los abuelos, y la niña no tuvo ya ni freno ni pudor para insinuarse al hermoso hipopótamo, que era, al parecer, indiferente a sus encantos; y eso que nuestra intrépida protagonista había conseguido ser una gruesa y sana muchacha de la que apenas se podía deducir su antiguo aspecto humano. Y todo esfuerzo fue baldío, pues, fiel a su especie, el animal soñaba con una idealizada hembra de hipopótamo; en tanto que ella, adulta y solterona, exacerbada en su pasión aún más al ser rechazada, suspiraba mirando aquella inmensa mole suspirar.

EL HÁLITO

Cuando el hálito lo abandonó, el joven se puso lívido, perdió la gracia y luego quedó exánime. Nadie pareció fijarse en su perfil que era como las antiguas palabras del poeta asesinado. Todos miraban las prisas del hálito por salir de la casa:

—Parece —dijo alguien— un pinzón de extraño plumaje. Un pinzón metálico y tornasolado —exclamó otro. Al final convinieron que era como una cometa buscando su reflejo: otra cometa distanciada en el horizonte. Nada tan hermoso —pensé— como una pandorga sobre el mar a finales de junio.

Y nadie se ocupaba del joven abandonado por el hálito. Sólo una amable anciana comentó:

—Tiene la luminosa palidez de la estrella fugaz que vimos en el 39 huyendo por el cielo.

Y nadie le prestó atención.

Estaba demasiado blanco para parecer natural. Un atrevido esteta, un sujeto de ideas atropelladas, sugirió que lo colocáramos en la urna de la Dolorosa Mediterránea:

—Será necesario —precisó— ponerle el resplandor de espadas en el pecho.

Sólo el más joven de todos, el que sabe de grabados y desnudos antiguos, se atrevió a hablar:

—Aunque el hálito se haya desentendido de él —dijo—, no es correcto que nosotros también le abandonemos. —Y tras meditarlo creyó haber encontrado una solución satisfactoria—: Será preciso —concluyó— dejarlo en el jardín junto a la columna que sostiene la parra, entre los dos evónimos crecidos; así, desnudo, parecerá la estatua que tanto deseábamos.

Pero nadie le hizo caso, y el jardín, visitado únicamente por los gatos, volvió a entenderse con el silencio; y la yedra trazó dibujos caprichosos, arabescos, sobre la monotonía de los parterres, y el olvido empezó a ocuparse del hálito y del muchacho que una vez lo tuvo. Sólo cuando la lluvia insistía demasiado, recordaban al joven y lo buscaban, sin hallarlo, por los altillos de la casa.

LA FIESTA

A un gesto del anfitrión, los músicos dejaron de tocar; el servicio suspendió su diligencia, y hasta las sombras, nacidas de los reflectores, parecieron acartonarse. Y el anfitrión hizo un nuevo gesto:

—Amigos míos —dijo reverencial a cuantos asistían a la fiesta—, permitidle que pase.

Los invitados cesaron en su alboroto, y las palabras, hechas súbitamente estatuas de sal, se perdieron por los corredores de la desmemoria.

Entonces, como un espejo imposible, la figura de Salomé portando la cabeza de El Bautista cruzó el jardín; tras la mujer, una jauría de perros fantasmas y el grito de Herodías acentuaban el valor del drama.

Y todo ocurrió con la rapidez necesaria para que las perlas perdieran el oriente, y para que el *rouge* en los labios se oscureciera hasta llegar al sabor mismo de la sangre.

En la lejanía, casi rozando el horizonte, los pavos reales abrieron la desmesura de sus colas. Y nunca más la fiesta fue la misma.

EL INSOMNE

El hombre, mirada de espejo y transparencias azules en la piel, me abrió la puerta:

—No encontrará nada —gritó a la defensiva; sin embargo, mi osadía, no respaldada por ningún título de investigador, me hizo entrar en la casa que durante tantos años me había obsesionado. Él hizo un gesto extraño y se apartó. Curiosamente volaron hacia todas las direcciones las palomas nacidas y criadas en una habitación en penumbra. Al fondo de la sala, brillaba la luminosidad asfixiante de un acuario. Los peces se movían con torpeza (el humor, siempre inesperado e inconveniente, los relacionó con el gordo Lezama). Apenas había sitio para tantos en aquella pecera cenagosa.

—Dónde, dónde lo esconde —le pregunté urgente, refiriéndome al sueño, temeroso de que pudiera huir (no él, sino el sueño).

—No encontrará nada —volvió a gritar, en

tanto que, traicionándose, intentaba ocultar un paño de pared desnudo de pintura y adornos. Lo aparté bruscamente, y golpeé una y otra vez aquel plano hasta que el sonido a hueco me confirmó la existencia de un zulo, de algo similar a una cárcel secreta. Lo reduje como pude (estaba muy nervioso) y volví a la luz de la calle para regresar al poco con un pico. Después, tras ímprobos esfuerzos, descubrí una habitación vacía y sucia. Esparcidas por el suelo, viejas cajas de cartón delataban antiguos hábitos propios de la crianza del gusano de seda.

Al volverme, el hombre había desaparecido. También yo, tras inútiles pesquisas, abandoné el lugar. Sabía que todo estaba perdido, que la materia del sueño había sido puesta a buen recaudo antes de que yo irrumpiera en la casa.

Ya sólo me queda la noche, la sequedad sin descanso de la noche. Y sé que, en alguna parte, mientras cuento estrellas, alguien me niega para siempre el destino de un sueño que fue mío.

LA NIÑA

Empezábamos a comer, cuando la niña, tras sacudir sus preciosos tirabuzones, se cruzó de brazos.

—Sólo comeré —dijo— si me dais mi muñeca.

Se trataba de una preciosa réplica de la niña. Se diría que era su versión artificial; y como ocurre frecuentemente con algunas rosas, más bella aún que su modelo.

Al fondo del salón, sobre una butaca filipina, el gato miraba curioso un cojín en el que una mano bordadora había dibujado su retrato. El gato estaba apasionado con su propia imagen.

Ya con la muñeca en brazos, con tenacidad, sin que los padres hicieran nada para impedirlo, la niña fue descoyuntando el juguete, empleando una técnica similar a la utilizada por el gastrónomo degustador de crustáceos.

Impresionaba ver con cuánto afán deglutía el celuloide. Cuando nada quedó de la muñeca, haciendo una reverencia, sonrió feliz. Al poco, sin descomponer la figura, tuvo un flato.

Fue entonces, sólo entonces, cuando los padres la separaron del grupo de los mayores.

Un invitado hizo comentarios de una época anterior, de otras excentricidades de la rara criatura, de cómo había añadido a su deliciosa casa de muñecas una guillotina, una maqueta de rara factura, y de cómo algunas noches antes de dormir (de otra forma no podía conciliar el sueño), se ejercitaba en el oficio de verdugo con pequeños pinzones y jilgueros. Y no supe más, pues una anciana con exquisito tacto, me indicó que era inadecuado, socialmente incorrecto, dedicar tanta atención y tiempo al mundo de los niños, aunque éstos tuvieran costumbres evidentemente extrañas; y, tomándome de la mano, me condujo a la pista de baile.

ANTE EL ESPEJO

—¡No lo haga! —le supliqué. Pero ella, decidida y envuelta en los encantos de su juventud, avanzó sin ni siquiera oírme. Supe que estaba resuelta, que nadie la apartaría de un destino fatal. Y continuó, muy deprisa, hasta hallarse frente a sí misma en el espejo. No, no se miró, ni dudó. Se lanzó, dando un salto magnífico (la envidia de un campeón) a la superficie helada del cristal; y yo me limité, lágrimas en los ojos, a apagar la luz de aquella habitación estúpida—: Nunca más —grité— habrá luces y fulgores en la tenebrosa luna de este espejo.

Y salí, dejando en la oscuridad para siempre a aquel monstruo, aquel falso río seductor y terrible. Estaba seguro, tarde o temprano un espejo muere en la oscuridad.

Días más tarde —lo supe por la prensa— su cuerpo fue encontrado en la luna de otro espejo distante, en una pequeña ciudad de provincias que ni ella ni yo habíamos visitado nunca, y en la habitación de un joven huidizo y romántico. Y también supe que un forense muy hábil, al descubrir las huellas secretas de su muerte, quedó atónito ante el refulgir de plata de sus vísceras.

EL VENDEDOR
DE ALFOMBRAS

Cuando murió el vendedor de alfombras lo enterraron mirando a las estrellas. Estaba en la playa antes de que la playa, un pedregal, fuera inundada de arena por la ingeniería de un barco holandés dispuesto a cambiar el perfil de los viejos mapas.

Lo conocimos de niño (nosotros entonces también éramos niños), un muchachito de tez muy oscura cansado de arrastrar alfombras de un lado a otro, siempre frente a un mar indiferente a su destino. Decían que un error en no sé cuál brújula lo había conducido a este sitio cuando su decisión miraba a la amplitud sin límites marinos de un desierto. Él, parecía no querer enterarse del equívoco, quizá porque, sobre todas las cosas, odiaba el sentirse víctima. Lo aceptó como algo natural. Sur y norte se hacían uno en el fatalismo que regía su existencia.

Vivía en la playa. En verano le bastaba para alimentarse con las sobras dejadas por los bañistas. Más de una vez halló los restos de una magdalena que, desconocedor del mundo de Proust, devoraba sin ningún enternecimiento literario. A veces se le veía discutirlas con las gaviotas, arrancárselas, dejarse arrebatar confundido entre el vuelo de unas aves voraces. En invierno esperaba el tesoro del mar, y sus sueños se enriquecían en visiones gastronómicas en tanto su cuerpo se reducía a casi nada.

Dormía bajo un techo difuso que para él era, sin duda, una jaima principesca. Le era suficiente con colocar algunos tapices sobre un cañizo. Decían que en los días luminosos miraba con añoranza el perfil lejano de una costa que se adivinaba mágica, suspendida en la bruma. Por lo demás, su vida era rutinaria, amaba las luces de la noche, y odiaba la estúpida insistencia del mar.

En cierta ocasión, los niños le vieron presuntuoso y distinto. Había logrado amaestrar un ave marina, una pagaza piquirroja. Un animal dispuesto a seguirle en su caminar perdido:

—Esta ave —cuentan que dijo con voz muy quemada— será alguna vez mi mensajera.

Apenaba ver al animal, con las alas cortadas,

moverse mirando añorante al Mediterráneo, tras la sombra de su dueño.

Con los años se olvidó de vender las alfombras, su pesada carga, aquello que la daba imagen de extraño caracol deambulando lejano y a la vez tangencial a la orilla. Parecía que le hubiera tomado cariño a una mercancía cada vez más deslucida. Llegó a organizar un espectáculo. Con una trompeta tocaba una musiquilla de zoco y lo hacía con tanta maña, ponía en esto de soplar tanta pasión que al poco las viejas alfombras se alzaban como ofidios melómanos y juguetones, recobrando el color con el que un día salieron de un país siempre en la memoria.

Un anciano, que presumía de tener amistad con él, un imposible, poco antes de que el vendedor de alfombras nos abandonase, contó haberle oído narrar un sueño. En él, el antiguo muchacho se veía caminar por una playa inagotable sobre un dromedario color atardecer y con alas inmensas de avestruz:

—Un sueño premonitorio —exclamó el viejo feliz con su historia inventada.

Los niños, que se habían acostumbrado a verlo ir de un sitio a otro en un delirio de noches repetidas, lo enterraron mirando a las estrellas con las mismas palas con las que, en los

71

amaneceres, alzaban sus castillos. Uno de los pequeños, en el último instante, tuvo la idea de atar a su mano, rígida, una cometa, la más alta cometa imaginada por un niño; otro, tomando a la pagaza piquirroja, la llevó consigo a un barracón de gente conocida. Al poco le volvieron a salir las plumas amputadas, ocasión que aprovechó el ave para emprender el vuelo en busca de un mar más sencillo, un lugar en el que los vendedores de alfombras se dedicaran de verdad al negocio. Y poco a poco la imagen del vendedor de alfombras fue fosilizándose en espejismo, y los veraneantes llegaron a creer que no había muerto.

CONSUMACIÓN

El día amaneció intenso y definitivo. La luz parecía tener tacto, piel, profundidad. Se levantó y fue hacia la ventana; la abrió con cuidado. Frente a él, los árboles se dejaban bañar por la luz; los parterres ordenaban geometrías florales; y al fondo, la madreselva ponía una nota triste y romántica.

Sin dudarlo se aproximó a la biblioteca, y fue acariciando los volúmenes encuadernados en tafilete de encendidos colores; y tomó uno. No fue el elegido un libro de ensayo, ni tampoco un tratado desconcertante de Filosofía. El elegido era un texto inglés relativo a la fugacidad de la belleza y lo perecedero, los versos de un poeta isabelino. Después hojeó el álbum de las antiguas fotografías, y aquellas imágenes —tan íntimas años atrás— le parecieron extrañas y secas; y, ya, se sentó procurando que la luz destacase únicamente la serenidad de su perfil. Escogió también los pensamientos y los recuerdos. Fue muy preciso en esto.

Así estuvo hasta el atardecer, inmóvil, ocupándolo todo en comunicación estrecha con la casa. A las nueve entró la mujer de servicio, y, con cuidado especial, como si estuviera advertida, cambió la ropa de la cama para vestirla nuevamente de blanco; un paisaje de desolación y nieve, y también, paradójicamente, un lugar abierto y acogedor. Sin que el hombre lo notara, dejó en el embozo una flor humilde y coloquial.

Y seguro de que el telón caería al límite de un presentimiento largamente sostenido, confiado en la consumación del tiempo, se recostó en el lecho, y el frío, aliado eterno del final, lo invadió lentamente.

EL ÁRBOL DECIDIDO

Las hojas parecían plumas de un arcángel coránico. Eran hojas de grandes miradas, y desde que la muchacha, casi una niña, se asomó al balcón, no hacían otra cosa que aprovechar las suaves mecidas de la brisa para rozarse con los cristales que la defendían del frío. Al poco, prescindiendo de la brisa, siguieron acariciando —por la energía de una vocación singular— los espacios en los que ella solía aparecer.

Alguien, menos experto en imágenes poéticas, una vieja decidida, exclamó una tarde:

—¡Puñetero árbol, se diría que las hojas se le hacen huéspedes en las ramas! —Y tomó una resolución terrible. Nada más iniciada la poda, el grito sonó por toda la casa. Inmediatamente la savia descubrió el poder de la sangre, y la vieja, despavorida, dejó de actuar. Cambió de táctica, renunció a seguir podando (una forma como otra cualquiera de castración), y sin más redujo a la niña a sus habitaciones, a las que no llegaban ni el árbol ni los gritos.

Conocida la decisión del amante vegetal, a nadie le extrañó que sus ramas fueran invadiendo, con técnica de yedra, cuartos y pasillos. Ante su tenacidad, la gente se sintió de pronto comprensiva con el árbol, pero también resuelta a impedirle el acceso a la habitación donde ella, tímida y en el fondo halagada, se hallaba recluida.

—No es bueno —dijo uno que en cierta ocasión trató de ahorcarse en una acacia— fiarse de los árboles—. Ni siquiera —continuó su crítica— el llanto del sauce es de creer, ni tampoco, pese a su ostensible verticalidad, todos los cipreses son deístas.

Pero aquel árbol, hermoso como una garza, mágico como el ciclamor, lo iba ocupando todo. Y sabía, desde su verde y tierna conciencia, que alguna vez la muchacha sería suya, que la cubriría con sus tallos y sus ramas, con sus nidos y atardeceres, y que ella, encendida de amor y clorofila, también florecería aquella primavera. Entonces, podía jurarlo, serían felices.

LA MUJER DECIDIDA

Al observarla descender entre los acantilados camino de la playa, tuve la sensación de haberla visto antes, en sueños. Estaba seguro, era alguien que en otra época había jugado un papel decisivo en mis noches de angustia.

—Una mujer —me dije— al borde del insomnio, de mi insomnio (a veces confundo las visiones oníricas con los simples deseos).

Repasé uno a uno el guión de los sueños antiguos y no hallé ningún personaje que la memoria quisiera identificar con aquella extraña criatura. La idea de haberla visto antes era muy persistente. Quizá —pensé— fuera la heroína de una película de desdicha y misterio. Mas, ningún dato, ninguna referencia memorística parecía confirmar esta nueva hipótesis; así que hube de contentarme con su incertidumbre.

Su figura contrastaba con la claridad del día, y en su vestido, un traje de moaré negro dotado de amplia falda, se descubría su anacronismo:

—Parece —me dije— el barco de la Muerte —y reí sorprendido ante la trampa literaria de la imaginación.

También el rostro, lívido, contrastaba con las sombras de su vestimenta. Sin duda, lo más significativo de la mujer que seguía caminando era la perfección de sus rasgos: la belleza de una boca jugosa, y la hermosa seguridad y transparencia en la mirada:

—Oh —fue el comentario que hice—, estoy ante una mujer decidida, una mujer arrebatada por un propósito inexplicable.

Tras de ella, gaviotas y pagazas surgían o se ocultaban en un juego de sombras y luces. De pronto tuve una sensación inquietante, podía asegurar que ella se movía, y también que estaba inmóvil, siempre en el mismo lugar. Era como si un teleobjetivo estuviera acercando su imagen, la imagen de una mujer que camina, y la distancia entre nosotros contradijera la ilusión de la lente: ¿Camina o no camina?, llegué a preguntarme.

No sé cuánto tiempo estuve contemplándola. A su figura se añadía, como una ambientación, los ladridos de unos perros lejanos. Lo demás era silencio. Incluso el mar, su bravura, se aplacó: Es como si no quisiera hacerse notar, pensé incorregible en esto de añadir interpretaciones a los hechos a medida que se producían.

Al fin llegó a la playa, y el inmóvil, lejano e irreal fui yo. Me hallaba ante una mujer a la que la brisa, la insistencia de la brisa le daba un aire trágico. La falda parecía agrandarse en oleadas de moaré y sombras (siempre las sombras). Como una actriz griega la vi avanzar hacia la orilla. De repente, se echó a la cara un rifle que hasta ese instante me había pasado desapercibido, y, tal si buscase el corazón de su víctima, esperó el momento propicio. Y descargó su furia y el arma contra el mar. Después se derrumbó en la arena, y estuvo sollozando amargamente hasta que la noche oscureció la playa.

Al amanecer había desaparecido. Sólo el mar, picoteado constantemente por gaviotas y pagazas, parecía más pálido.

EL COLECCIONISTA

Noches difíciles aquellas que dediqué a la búsqueda del coleccionista de tatuajes. Frecuentaba este sujeto antros en los que la grosería y la fuerza tienen su importancia, y lo seguí, y me mezclé en sus noches.

Me habían dicho que en sus álbumes hallaría los signos y símbolos que alguna vez fueron parte de cuerpos ya anónimos. Soñaba yo con un nuevo bestiario: mariposas latiendo sobre un corazón aventurero, dragones cuyos rojos el salitre tuesta en rutas de piratas, y tímidas rosas florecidas en pechos ferrallistas, y estaba seguro de que en alguno de aquellos álbumes el azar me depararía un delirio más generoso aún que el por mí esperado.

También los Guardianes del Orden, por motivos ajenos a lo estético y a lo singular buscaban al acaparador de tatuajes. Querían conocer la razón por la que sus víctimas se negaban a denunciarlo.

En mis pesquisas tuve ocasión de hablar con más de uno de los despojados. Casi todos coincidían en la argumentación que los apartaba de la acción judicial, pese a que, en alguna parte de sus cuerpos, una cicatriz en ocasiones burda delataba el lugar en el que un tatuaje había añadido un rasgo misterioso a la personalidad. Un anciano de aspecto burgués (lo que en principio parecía excluirle de las filas de tatuados) fue más explícito:

—Nunca mató a nadie —dijo excusándole—, su trofeo es mínimo, el espacio corporal donde el dibujo asienta su existencia, casi un pétalo; el instrumento, un bisturí; la técnica, rapidez y deseo de apropiación. Y como fuera consciente de mi perplejidad ante lo absurdo de su razonamiento, quizá para tranquilizarme, o tal vez para convencerse a sí mismo, añadió—: Personalmente prefiero, a mis años, que la cosa (no quiso especificar el argumento dibujístico) esté ahí antes de que cualquier día se pierda conmigo cuando yo me pierda. —Y subrayó con un guiño macabro el sentido de sus palabras.

Supe que el coleccionista era esquivo, que a muy pocos mostraba su colección, y que al hacerlo, inevitablemente humedecía con saliva aquellas viñetas extraordinarias del dibujo y la sangre:

—El brillo las vitaliza —aseguran que decía. Mas había otras historias y otras explicaciones. No puedo pronunciarme sobre la veracidad de éstas o de aquéllas. Sólo puedo decir que durante años mis noches estuvieron dedicadas a su búsqueda, y también a la adquisición de las piezas más raras. Pero hay algo que siempre oculto, el porqué de esta obsesión mía de apoderarme de los tatuajes, que evidentemente va más allá de la razón estética. A nadie digo que un cirujano muy hábil, más artesanal que científico, los adhiere a mi piel. Así, mi cuerpo es una exposición secreta de dibujos que alguna vez latieron en otros cuerpos; y así experimento una sensación opaca y placentera, no fácil de explicar, parecida, supongo, a la que siente el antropófago al degustar en la soledad cómplice su mejor bocado.

EL SUEÑO DE LA MUERTE

El niño prodigio tiene la mirada enfermiza, y su cuerpo recuerda la suavidad de algunos pergaminos. Sus palabras parecen venir de un extraño otoño, y su curiosidad le lleva a preguntar sin descanso.

—La vida es una pregunta que no admite respuesta, pues siempre hay una interrogante esperando contestación —dice este apasionado filósofo que dedica las noches (es dueño de todos los insomnios) a una lectura insaciable—. Soy tan débil —proclama ufano— que carezco de sueños. —Luego, como un animista exótico, advierte conciliador—: Cuando muera, soñaré los sueños que deje pendientes. Hay —asegura— un número de sueños para cada hombre, y también un número de ensoñaciones para la muerte. —Y sin poder reprimir la explicación, cuenta que las visiones de los difuntos son como los negativos de las fotografías. Ya nadie los revelará.

Una tarde lo encuentro dedicado a ordenar su colección de mariposas nocturnas, y volviendo a un tema días atrás dejado, me dice que hay un cementerio para los sueños, una nebulosa, mejor, una falsa nube formada por cuantas visiones no gozaron de un soporte vital que las hiciera posibles. Aprovecho la ocasión para preguntarle por las pesadillas, los perfiles agresivos del sueño, y con tristeza que comparto, reconoce no saber nada del asunto.

EL ACONTECIMIENTO

Una vez al año nos visitaba, casi siempre en invierno. Una luz más decidida en las estrellas, cierto ir y venir de meteoritos, parecían anunciar su visita. Entonces cerraban las cafeterías y los cines; y la gente, incluso las castañeras, se olvidaban de sus obligaciones y negocios, y en grupos marchaban hacia el puerto. El Alcalde, siempre electoralista, hacía iluminar la zona de tal modo que las aves del parque, perdidas en un insomnio de luces y locura, revoloteaban chocando con las viejas palmeras. Sólo el vendedor de cacahuetes con su barquito de tostar granos estaba autorizado a vender; gracias a ello, los impacientes podían distraer la espera.

Desde la explanada del parque se veía el reloj del Ayuntamiento iluminado:

—Es ––comentaban algunos ante aquel alarde— como en Año Nuevo. Después todo era silencio, hasta que, inesperado, correctísimo en el vestir (gabán azul marino, foulard de seda blanca y zapatos de charol de punta fina) el hombre caminaba sobre las aguas, solo, como un funambulista de lo prodigioso, en tanto todas las miradas parecían sostenerle en su tarea imposible. En ese instante las sirenas de los barcos sonaban atronadoras, la gente gritaba los vivas guardados para una ocasión tan especial, a la vez que sentía una extraña nostalgia por el futuro, por lo aún no sucedido, y aplaudía con más fuerza.

Al alba, terminado el milagro, se acogían a sus casas, allí permanecerían largo tiempo charlando, no de lo acontecido, sino de lo que había de suceder el año próximo. Y hablaban de cómo iría vestido el hombre que camina sobre las aguas, y de cómo el Alcalde, siempre el mismo alcalde, tendría nuevas ocurrencias para convertir el suceso en un acontecimiento políticamente rentable.

EL CUERPO

Las primeras en advertirlo fueron las gaviotas. Uno de los niños explicó con voz indecisa:

—Son las aves elegíacas del mar.

Y los otros niños, que despreciaban de éste sus alardes culturales, gritaron sin, al parecer, prestarle demasiada atención, y abrieron el corro a otros intereses.

El cielo se ofrecía pálido, como si pretendiera subrayar la tragedia. Y pude verlo. Parecía un coleóptero en su último vuelo de verano. Los párpados como dos hojas doradas, y la boca en un gesto indeciso tal si quisiera desprenderse de la pesada carga de *rouge* que la cubría; y las manos en la actitud desesperada de una actriz griega, o de una muchacha norteamericana en los albores del cine mudo. Las mujeres iniciaron un turno de quejas por el mal fario que hay en que las aguas devuelvan el cuerpo de un suicida. Sólo aquel ser, aquella extraña sirena de la muerte, permanecía fija en su desolación y en su traje de novia:

—Es —dijeron los niños repentinamente interesados— un loco travestido de imposible. Y para hacerlo brillar aún más lo fueron cubriendo de algas y medusas. Fue una labor intensa e inocente. Al poco, las mujeres y los veraneantes encendieron fuego, y cantaron canciones que nadie, ni ellos mismos conocían. Así pasó la noche. No hubo amanecer, pues antes de que el alba dibujase sus iniciales ilusiones en el horizonte, vinieron a llevárselo.

EL SONIDO DE
ALGUNOS CLARINETES

Amaba los abejorros rubios, aquellos que traen los días felices del verano; y también amaba a los muchachos que tocan trompetas y clarinetes en las calles. Los abejorros carecían de significado pasional, anunciaban únicamente ciertos cambios en la naturaleza; los músicos eran otra cosa, y bastaba con oírles lanzar sus notas cuajadas de brillos, para que ella, generalmente tranquila y sosegada, empezara a moverse lasciva como una cobra ante el embrujo de su encantador.

Tenía miedo, miedo a los encuentros inesperados con aquellos músicos terribles; miedo de su oculta fragilidad; y también temía esa sensación de ridículo que produce una persona que, sin más, se contonea en la calle. Y decidió, lista como era, acabar con el escándalo.

No le fue difícil apostarse a la salida nocturna del conservatorio, y acechar a su presa. Tardó en elegir:

—Un músico —se dijo— tiene que ser impersonal, silencioso: todo el poder debe proceder de su arte.

Al fin, una noche lo descubrió. Tenía aire de inocencia, de amante inexperto, y sin poderse contener, lo siguió y lo hizo suyo.

Bailaron y tocaron ajenos a la impertinente manía del reloj de marcar las horas: Podía dedicar su esfuerzo a otro tipo de cuentas, solía comentar ella, refiriéndose sarcástica al reloj, sin dejar de moverse mientras el muchacho, apoyado en un mueble cualquiera, simulaba, con dignidad, ser un músico callejero.

Y nunca más supieron de abejorros.

Y el muchacho, que se había hecho experto en el arte de amar, cerraba con premura los balcones cuando otra música llegaba de la calle.

CRÓNICA DE
UN SIETEMESINO

Nació en una noche de luna nueva, y fue sietemesino. De niño, la tristeza le perseguía por la casa, arrinconándole en los lugares en los que el misterio suele asentar sus manías y especulaciones. Se le notaba la mirada imprecisa y cierta debilidad, consecuencia del adelantamiento del parto (una sorpresa para todos, solía decir su padre, un numismático entendido, persona de extremado orden, que no se había hecho ni nunca se hizo a la idea de tales urgencias). Para compensar las prisas en el nacer lo criaron con carne, solomillos de leopardo joven, que, un pariente hacendado en África, les hacía llegar con frecuencia.

Pese a todo, su aspecto romántico no cedió ante aquella alimentación fiera. Sólo algunas manchas doradas en la piel y el paso más ligero al caminar, delataban los hábitos alimenticios.

Por lo demás, sus aficiones eran las normales en cualquier otro muchacho de su edad. De adulto adquirió la costumbre de subirse a armarios, roperos y muebles de altura, no sólo para saciar el hambre con alimentos que hasta allí portaba, sino para esconder los restos de la comida, de tal manera que si alguna vez sentía apetito (lo que no era frecuente) pudiera hallar una despensa con lo indispensable. Así que no era raro ver sobre bibliotecas y muebles la carne oscura y joven de aquellos leopardos. También se mostró terrible con la primera muchacha a la que amó; pero ella supo, no sólo acomodarse a su conducta, sino también serle fiel y hacerle feliz, llegando a seguirlo a los altos roperos para compartir la comida.

Por lo demás, se dedicó con provecho al estudio de la Estadística, rama acumulada por azar a las ciencias económicas, y también puso suficiente interés, hasta lograrlo, en hacer de la vida algo opaco y muy parecido a otras vidas.

No siendo fácil lograr, al cabo de los años, carne de leopardo, con la resignación de un filósofo estoico, y la elegancia de un caballero inglés (en definitiva, una mala imitación de un estoico) se hizo vegetariano, aunque tanto su compañera como él hacían frecuentes elogios de los tiempos en los que, unas piezas de carne les esperaban en los espacios insólitos de las alturas domésticas.

LAS MANOS

Fue en un instante de decidida obsesión por
el mar cuando sus manos, libres al fin de su voluntad limitadora, decidieron alzar el vuelo.
Desde siempre, había advertido cierta rebeldía
en sus manos. A veces, en los momentos de mayor austeridad, se movían enloquecidas pa-
rodiando el vuelo de una gaviota o el planear
dichoso de un vencejo. Cuando esto ocurría
debía ocultarlas en los bolsillos de los pantalones acampanados que le gustaba usar. Pero
aquella tarde también él tenía deseos de elevar-
se, de huir de sí mismo en busca de las grandes
alturas; y las dejó hacer. Primero, temblaron
como si fueran novicias en esto de aletear. Después, vibraron enérgicamente, y al fin, sin dolor, se desprendieron de las muñecas, y tras
revolotear en torno a su cabeza se fueron dis-
tanciando de él hasta perderse en la línea imprecisa de un horizonte indiferente.

Ni por un instante se sintió mutilado y triste por la pérdida de unas manos que, aun incordiantes, le habían servido desde siempre. Su fantasía pudo más; por ello pensó en cómo se las apañarían en el aire, si serían o no felices, y si alguna vez —ya sólo aves— hallarían parejas. Únicamente, al hacer un gesto, un intento de llevarlas al bolsillo, sintió un vacío muy especial:

—Esto debe ser —se dijo— el dolor de ausencia.

Y siguió caminando.

EL GRAN ESPECTÁCULO

Así como los ofidios mudan la piel una vez al año, él podía cambiar de sombra cuantas veces quisiera. Lo hacía con naturalidad, sin dolor y sin apenas esfuerzo, y lo que es más extraño, sin ninguna añoranza respecto de aquello que, durante tanto tiempo, le había hecho sumisa compañía; y le era indiferente que los más íntimos le llamaran, no sin un tono de reproche: El infiel a sus sombras. Y es que, en aquel plural sólo aplicable a él, hallaba suficiente satisfacción y orgullo como para compensar cualquier censura.

La primera experiencia la tuvo en la infancia. Su madre, en una ocasión, al tomarlo en brazos, se admiró de ver algo que, similar a un velo, permanecía tiritando en el fondo de la cuna.

—Es su sombra —gritó descompuesta como cualquier madre ante la visión de un hijo incompleto, y sólo se tranquilizó cuando al alzarlo y someterlo a los efectos de la luz, una nueva sombra imitaba servil los movimientos del niño.

De niño fue travieso y también solitario. Le bastaba con jugar con su sombra. La madre le reprendía, pues era poco cuidadoso y solía perderla cuando no la cambiaba por canicas de cristal en el colegio. Jamás tiraba las mudas de la sombra, solía esconderlas —como le ocurre a algunos canes con los mejores huesos—, para olvidarlas de inmediato.

No hizo el servicio militar. Para librarse le bastó con alegar aquello de tener y perder sombras a cada instante, para que el tribunal médico y militar (es decir, el diagnóstico de un general era más científico que el de un teniente) le declarase inútil para todo servicio.

Sólo en la madurez sentó cabeza y sombra, pues fue muy ducho en fabricar con ella abrigos de rareza única. Con tal de obtener una de estas prendas pocas mujeres le rechazaron. Y descubriendo al fin las ventajas de la compañía a los hábitos solitarios, fue feliz.

En la vejez, abandonadas las ansias seductoras, el «excedente sombra» le permitió instalar un negocio de marroquinería, y poco a poco

—sin que esto tuviera relación alguna con la práctica del comercio, y sí con la longevidad— perdió la memoria hasta olvidarse del complicado asunto de su sombra.

CIERTA ASIMETRÍA

La pequeña esquizofrénica tenía cierta asimetría en el rostro, que sus gestos delataban de inmediato; pero ella era indiferente al gesto, al rostro, al cuerpo y a las manos. Ajena a todo lo suyo.

—Oh, la locura es una planta que necesita demasiados mimos —solía comentar con distanciamiento de aquello que le afectaba—. Me debo a todo esto —y luego, ya dicho, permanecía en silencio. Y yo, aun sabiéndola absorta, prefería estar a su lado. Una tarde me habló de la nube, y no quise creerla hasta que me condujo a una habitación destartalada, luego, abrió el espejo de doble luna y me la enseñó. Allí, en la oscuridad del armario, apretujada entre las perchas de madera y la ropa inservible, estaba quietecita la nube—. Si quiero llueve —me explicó con la fatuidad de un domador de circo; incluso hizo una reverencia, tal si esperase un aplauso. Para no desencantarla subí con ella a la terraza a tomar, cogido de su mano, el sol del mediodía.

La última vez que la vi, me dijo aparentando indiferencia:

—Si no fuera por esta muralla, cada vez más alta, me atrevería a amarte. —Pero la muralla, que estaba construida de piedra triste y abandono, siguió subiendo, subiendo hasta ocultar la luna.

Años más tarde tuve nuevas noticias de la muchacha asimétrica. Se había convertido en una roca verde en el pico de una playa solitaria. También supe que la nube se había apolillado. A veces me acerco a la playa para ver como revolotean las pagazas del mar en torno a la roca abandonada; y otras me olvido de ella. La vida —pienso— no es de fiar.

LA PUTA FLORECIDA

Cuando florecieron las primeras violetas en su piel, más que sorpresa, el asunto fue motivo de escándalo entre sus compañeras, mujeres también de la calle, temerosas de que aquel fenómeno fuera contagioso, y la clientela, severa y conservadora, compuesta casi toda ella de jueces, funcionarios de Hacienda y clérigos descreídos, pusiera el grito en el cielo de todos los escándalos, y las abandonase al destino incierto de venus sin trabajo y sin orgasmos mercantiles.

Ella, aun desconcertada, se sintió feliz al principio por el raro asunto del que era protagonista. Las violetas le nacían arracimadas, caprichosas, parecidas a los tatuajes (fueron más de uno) que una tarde enloquecida le hizo grabar en su piel de muchacha un viejo marinero nórdico experto como pocos en el arte de amar. Después, ya todo fue excesivo. El joven apuesto que solía elegirla en las visitas a la casa, la abandonó:

—Sí —le decía— es algo muy hermoso, un espectáculo único. Y no es que tema contagiarme de esta exuberancia floral; en modo alguno. Mas, al entregarme, al intentar aterrizar sobre tu cuerpo, tengo la sensación de sobrevolar una selva poblada no sólo de violetas, sino también de caimanes, viudas negras, anacondas y animales terribles. —Y ella, que lo amaba, y que se había encaprichado con aquel muchacho hasta el extremo de guardarle la parte del león de su postre, lloraba lágrimas pequeñas que olían a las violetas que adornaban, hasta ensombrecerlo, su cuerpo de muchachita fácil.

EL PRÓFUGO

Se advertía en la mañana una sensación confusa de orden y domingo. El público, en apretadas filas, lucía su vestimenta más solemne. En los trajes rayados de los hombres se percibía un brillo espeso de insistencia en la plancha (era gente muy modesta); ellas, apenas se movían arropadas en sus abrigos de paño. En ocasiones, algún gesto hacía sonar la fruta de cera que adornaba sus sombreros. Eran como fruteros de una primavera adelantada a punto de deshacerse. Algunas habían tenido la precaución de traer los quitasoles, y la luz, al atravesarlos, encendía en vidrieras catedralicias los rostros de aquellas mujeres.

La noticia cundió fácilmente. Decían, repetían, por todas partes, que esta mañana regresarían los ríos prófugos, los ríos dispuestos a eludir el deber de entregarse al mar. Volverían aquellos que sólo quieren ser nacimiento, curso, cauce, lecho, y nunca confusión oceánica. Un filósofo neoescolástico dijo que aquellos ríos paradójicamente eran suicidas, en tanto se negaban a cumplir su destino natural y poético (subrayó «poético», satisfecho de la atrevida apreciación); en tanto que otro, uno que vivía a costa de un diente de oro que lucía, hecho sonrisa, en las barras de ciertos bares nocturnos, se atrevió a precisar en tono canalla:

—Sólo vuelven los cobardes —y lo volvió a decir, ahora a gritos, para que todos lo oyeran a la vez que escupía enseñando el fulgor de su diente.

Sin embargo, esta cuestión parecía no preocupar a aquella concurrencia, pues se trataba de los amantes, parientes y deudos de quienes una vez pusieron en manos de éste u otro río su decisión fatal de ser suicidas.

Si estaban allí, como si fueran el público de una vuelta ciclista, no era por afán de recoger los cuerpos que el río devolvería, y darlos a la tierra o al fuego, los lugares del hombre; estaban para entregarlos a otros río, a otros caudales más serios y cumplidores.

A veces, la policía tenía que poner orden, pues, alguna de aquellas mujeres, vociferando, protestaba contra la seriedad del destino cuando se hace cómplice de lo geográfico. Otras, por el contrario, las más sentimentales, escondían atropelladamente raros aparatos caseros fabricados con el afán de volver a la vida a los frustrados suicidas fluviales. Y eran frustrados —comentaban— porque nadie se arroja a un río si no es para acabar en el mar que es el verdadero fin de todos los finales.

De repente se hizo el silencio, y, lejano, no con el aire publicitario del pelotón que abre triunfal una etapa del *Tour*, sino corrido y tímido, avergonzado en lo superlativo, se vio a un río que regresaba. Su abandono, la palidez de las aguas, impresionó a aquella gente que, de inmediato, pareció entender la inmensa tragedia de un río que huye del mar y de la muerte para evaporarse en cualquier paraje distante y tranquilo en el que, ni siquiera cantan los pájaros; y por un instante, la imagen de los suicidas se hizo indiferente y ajena.

ANTROPOFAGIA

Cuando el Príncipe —escandaliza escribirlo, mas la crónica es muy estricta en su planteamiento— devoró a su hijo, previamente dispuso que el niño —ya enrojecido por la inútil tarea de escaldarlo para desposeerlo de cualquier vellosidad— fuera cubierto por una piel de cordero teñida de cobalto. Era necesario darle un aire ritual y a la vez modernista, a tan alto manjar. Del mismo modo que un faisán debe servirse protegido en su carcasa y plumaje, qué menos que este niño, siete veces noble —pensó el Príncipe y gritó a voces su mayordomo—, tenga una vestimenta digna de su prosapia y estirpe. También, para hacer más codiciable el alimento, se ordenó que un juego de biombos de celosía velara en lo posible el comedor. Hecho, la estancia quedó envuelta en una especie de nebulosa. Sólo el Nuncio, por razones de altísima Teología, fue autorizado a ser testigo del yantar principesco. Y, todo preparado, ordenó el Príncipe que un monje leyese alguna página, mejor un párrafo, o quizá sólo una cita de un Libro de Horas. De esta manera todo se resolvería en cosas del espíritu.

Terminada la cena, el Príncipe derramó lágrimas que los hombres de Estado achacaron, no a la horrible monstruosidad de haber devorado a un niño tan tierno y tan hermoso, sino al desvarío de haber desprovisto, por cosa de vicio y gula, al principado de un heredero tan exacto.

Y dicen las crónicas que aquella noche el Príncipe engendró un hijo terrible.

Le pregunté a un filósofo, que presumía de conocer las singularidades del comportamiento humano, la razón última de esta leyenda. Tras pensarlo un instante respondió:

—Al margen de lo circunstancial literario, el argumento reproduce un mito nunca codificado pese a su frecuencia. La historia de un padre al que se le anuncia que su propio heredero le ha de destronar es frecuente. El creador del mito, partidario casi siempre del *fatum*, se las apaña para que, pese a la precauciones tomadas por el padre, así suceda. Lo particular —concluyó— en el caso que me somete está en el aspecto antropofágico, que hace más temible la imagen del poder, aunque en verdad la antropofagia no elige únicamente al heredero, sino a todo el que confía en quien ejerce el poder.

EL VIEJO PROMETEO

Con el torso desnudo, el viejo Prometeo trabajaba todos los días en su carromato. Iba de acá para allá siempre refunfuñando, bien porque dos sesiones le parecían a su edad demasiado trabajo; bien porque al descuidarse, y pensar en los tiempos airosos de la juventud, se quemaba las barbas. Cuando esto ocurría, los niños, que invariablemente asistían al espectáculo, echaban a correr atufados por aquel hedor insoportable. Y él, divertido al verlos huir, cambiaba repentino de humor y les gritaba:

—Pero, adónde vais muchachos; no os dais cuenta de que hagáis lo que hagáis os mearéis en la cama; eso debe pasar siempre que un niño juegue con fuego.

Y callaba la otra conclusión: Y los viejos que enreden con él, también se quemarán las barbas. Y reía viéndoles huir en busca de aires mejores.

No duró mucho en su trabajo. Una tarde lo volví a encontrar. Había cambiado su oficio de lanzador de fuego por el más tranquilo y fácil de contador de cuentos; y, aunque la gente acudía menos al carromato, no por eso se sentía desdichado. Tampoco protestaba en la raras ocasiones que alguna vieja sorda le pedía que repitiera un cuento:

—Con un aplauso es suficiente —me decía ufano— para mantener bien alta la vanidad; más no hace falta.

Invariablemente empezaba contando el porqué había cambiado de oficio:

—En cierta ocasión, en Bulgaria, para ser más preciso —y a medida que iba narrando la historia llegaba a indignarse—, unos policías, sucios y malencarados, irrumpieron en medio de mi maravillosa representación, y tras escupir en el suelo del carromato, empezaron a vociferar: «¡Cómo se atreve a malgastar el pan de los filósofos en cosa tan nimia!» La verdad, me costó trabajo entenderlos, hasta que llegué a la conclusión de que se estaban refiriendo, llamando pan, a la llama que unos momentos antes brotara de mi boca. Así, que hube de renunciar a un trabajo que me había hecho famoso, a un arte que habían aplaudido, hasta dolerles las manos y los guantes, los reyes más famosos de Europa... (y al final se atrevía a completar la frase) ¡y de América!

Y cuando el público, cansado de oír aquel disparate, le apremiaba para que acabase la historia, se limitaba a decir teatral y lloroso:

—Y entonces se llevaron el fuego.

Y nunca confesaba que allí, en el fondo del carromato, aún guardaba algunas llamas para cuando de nuevo fuera joven.

INFORME

Durante varios días los vi reunidos bajo la ventana que da a un callejón sin apenas tránsito. Había tristeza en sus rostros y su aspecto era arduo de explicar. Podían lo mismo ser hospicianos que niños apátridas perdidos en una antigua guerra, una de esas guerras que prolongan su memoria más allá del tiempo. No hacían nada, se limitaban a observar aquellos puntos de la pared en los que ningún balcón abría su curiosidad a una calle apenas frecuentada. Yo, por el contrario, estaba muy atento a cuanto hacían, y pasaba las horas intentando singularizar sus formas, sus rostros y su melancolía parecida; sin embargo, no llegaba a singularizarlos; tampoco ellos hicieron nada que tuviera el rango al menos de anécdota personal.

Una tarde sombría que amenazaba lluvia entraron en acción. Con cuidado les vi sacar de los bolsillos de sus uniformes, baberos o delantales unas barras de tiza y fueron trazando en la calle, con dificultad pero con decisión, curvadas paralelas, hasta que me di cuenta: habían dibujado un arco iris. Era un dibujo torpe y demasiado grande para aquellos niños. Hecho, permanecieron, incluso de noche (antes nunca habían actuado de ese modo), junto al dibujo. Se diría que lo velaban. En la oscuridad, mientras los demás acurrucados intentaban dormir, uno de ellos permanecía alerta.

La mañana que llovió fue emocionante. El cielo, gris, se deshizo en tonalidades y nieblas suavísimas. Por asociación de ideas miré una y otra vez al cielo. Creía que un arco iris iluminaría un paisaje de tanta desolación. Esperaba un regalo. De pronto recordé a los niños. No estaban. Un fulgor especial me llamó la atención desde la calle; allí, llenándolo todo con un brillo especial, los colores del dibujo se iban encendiendo hasta componer la rareza ingrávida y transparente, pero horizontal y callejera de un arco iris urbano. Permaneció luminoso varios días con sus noches y el frío de sus madrugadas. Los niños nunca más volvieron.

En ciertos viajes apresurados a los países del Este, en los barrios obreros del carbón, me ha parecido ver las filas de aquellos extraños dibujantes empeñados en iluminar las sombras del abandono urbano. Sigo sin poder individualizarlos, ni siquiera podría jurar si son los mismos que vi durante varios días reunidos bajo una ventana que me era familiar. Sólo sé que su presencia es anuncio de lluvia, y presumo que también de otras cosas, pero insisto, no me atrevo a decirlas.

EL SALÓN
DE LAS OPACIDADES

No sin vencer algunas dificultades había logrado una entrevista con el Rey del Destino, como así la prensa amarilla llamaba a este escándalo viviente, a este impúdico multiplicador de su propia fortuna. Tras un saludo de resonancias metálicas, el mayordomo (la estimación que por él sentía su amo se descubría en una sonrisa labrada en oro por un dentista de la vieja escuela) me condujo al salón de las opacidades.

—Sólo en este lugar el señor halla descanso, sólo la opacidad le relaja.

Nada más entrar en aquella niebla cúbica, percibí un masculino (no sin cierta exageración) olor a cigarro habano.

—Me siento en la obligación de aclararle que el señor no fuma; es más, considera que en todo fumador hay un ser envilecido. Un grupo de científicos a su servicio ha creado para él un ambientador cuyo aroma es difícil de distinguir del de un buen partagás.

En medio de la opacidad, la sonrisa del célebre millonario evidenciaba los estrechos lazos que le unían al mayordomo. También el oro brillaba en cada pieza dental de su boca. Al darse cuenta de mi interés por su sonrisa, exclamó:

—Es la única excepción, el único brillo que me permito. Lo demás es todo opacidad —y, haciendo un gesto, me invitó a sentarme, momento que el mayordomo aprovechó para explicar la importancia de la deferencia que su señor había tenido conmigo.

—Es su turno, ya puede preguntar —me indicó imperativo el señor como si todo el tiempo del mundo se consumiera en tanto yo empezaba mi trabajo.

Saqué la *montblanc* y un bloc, e inicié la entrevista.

—Dígame, ¿qué le aconsejaría usted a un joven inquieto que pretendiera ser millonario?

Noté que la pregunta le agradaba, que estaba dispuesto a contestarla sin ninguna objeción:

—Simplemente que cuente, que dedique horas y horas a contar —y al decirlo percibí que abría desmesuradamente los dedos de las manos como si quisiera individualizarlos, hacerlos palotes— que aprendan a saborear la diferencia que hay entre cada número —y nuevamente abría y cerraba los dedos como si fueran tijeras prontas a cortar abstracciones.

—Y, abusando de su amabilidad, ¿cuál es su hobby?

—Evidentemente contar. No olvide que la coherencia es mi máxima, y, como todo banquero, lo que quiero para mí lo quiero para los otros, esos otros por los que usted acaba de preguntarme —y cogiendo una de mis manos, señalando uno a uno cada dedo empezó a contar. De inmediato, el mayordomo cedió también, para la contabilidad improvisada, las suyas, y llegó a descalzarse para facilitar las operaciones contables a su jefe.

Entonces, el fotógrafo, camuflado tras mi sombra, disparó un par de instantáneas.

—Será —le dije— una espléndida entrevista.

La verdad, no tuve éxito. El público confundió mi trabajo con la lista de la lotería. Demasiados números ordenados por simpatías y familias. La gente, los pequeños ludópatas, buscaban entre ellos, ansiosos e inútilmente, el premio gordo que hiciera realidad el imposible diario de sus sueños.

Al poco recibí una carta sin remite y con un decidido olor a partagás por toda firma. Este era su texto:

«Me ha hecho perder el oro de mi tiempo, y su entrevista —no mis contestaciones, ni menos mi vida—, ha sido un fracaso. Su insensatez y estúpida osadía me han llevado a rozar aquello que siempre debió serme ajeno, el fracaso. Se acordará. Tenga la seguridad de que nunca olvido, de que nunca perdono. Desde hoy usted es mi meta. Pronto será mi víctima.»

A aquella amenaza añadía, con un gesto de suprema decisión, su firma.

Desde ese día, dentistas terribles y desaprensivos me persiguen a todas horas. A mí sólo me queda una defensa y un recurso, apretar mis dientes, imperfectos y humanos, y huir de la sombra poderosa y multiplicadora de los números.

EL NATIVO

Fue una visita inesperada. Aun hoy me es difícil comprender cómo llegó a la casa. De inmediato pareció familiarizarse (o al menos acostumbrarse) con los muebles, con los innecesarios elementos decorativos que asfixiaban mis días de soledad, e incluso lo vi mirar con ojos mágicos los abusos de un barroco que apenas hacía habitable la casa. Debo reconocer que a mí, por el contrario, me costó acostumbrarme a su desnudez absoluta (sólo una hoja envolvía, ascendente y exagerada, su virilidad). Fuera llovía y su cuerpo brillaba con un aire de estatua torpe y desmedida. Intenté acercarle una toalla pero la ignoró, no a mí. Me miraba incrédulo, dubitativo —pensé— de que fuera yo precisamente la persona que andaba buscando.

Me costó algún esfuerzo —pasar una y otra vez las páginas de la Enciclopedia— hallar un grabado, una pista de su país y de su raza. Era,

119

sin lugar a dudas, un nativo de eso que hoy llamamos Nueva Guinea; pero también era como un ángel visitador. Venía —esa es la impresión que tuve— a poner ecos, palabras inusuales, tal vez sólo gritos, en un territorio perdido de fronteras.

La primera noche hizo fuego en un rincón del salón principal. Fue agradable oír chisporrotear, al arder lenta y dificultosamente, los viejos dorados de una silla Luis XIV. Me hubiera gustado hacer una anotación en mi diario años ya abandonado. Hubiera escrito: Cada mueble, cada estilo tiene una manera peculiar de consumirse. Y llegué a pensar, no sin rechazarlo de inmediato, en un ensayo sobre la conveniencia de cierta sistemática en el desorden, lo llamaría: *De las contradicciones en el caos.*

Fue esa noche cuando acepté la destrucción como un inesperado ejercicio de armonía; y tal si tuviera que cumplir un sacrificio supremo busqué en el Gabinete de Ciencias, y abriendo los expositores de lepidópteros le ofrecí mis más bellas mariposas. Las miró sin apenas mostrar interés alguno y las llevó a la boca. Las sentí crujir como crujen la seda y los viejos papeles, mientras un polen luminoso escarchaba la oscuridad de su pecho salvaje. Después le entregué los minerales, y los miró igualmente con desprecio. Al poco, supe de su exacta puntería, y, ya en mi habitación, oí como se deshacía la plata de los espejos venecianos con un estúpido ruido de cacharrería de caseta de feria. No pude evitar una sonrisa, o tal vez una mueca, y al fin, no sin alguna dificultad, pude descansar. No nos hablábamos, mas intuyo que algo nos unía.

Me miraba con asco cuando, conforme a la costumbre, preparaba mis comidas de siempre. Yo, en cambio, no dejaba de extrañarme ante la naturalidad con que comía mis colecciones de insectos. El crujir de los coleópteros me producía arcadas, y dispuesto a seguir en todo sus lecciones de naturalidad, vomité en su presencia, ostensiblemente, sin ningún recato. Sólo con los coleópteros me ocurrió esto.

La casa había recobrado su identidad arquitectónica, y ahora era más plano que casa. Nada distraía al suelo y las paredes de sus más elementales definiciones. Sólo la falta de muebles para quemar hizo más perceptible el frío de madrugada. La noche empezó a ser algo doloroso, algo temible. Me faltaba valor para aproximarme a él. Sabía que los alemanes habían experimentado con homosexuales, gitanos, locos y judíos toda clase de remedios contra la congelación que ellos les provocaban durante los meses terribles del exterminio: el calor corporal, el cuerpo a cuerpo, era, sin duda, el remedio más saludable. Pero sentí pudor y me mantuve distante, siempre distante, arrebujado en mi soledad y en mi desconcierto.

Al fin hubo un día en que no quedó nada, ni una sombra que ofrecer a aquel salvaje siempre insatisfecho Y lo vi lamer las paredes desnudas de telas y papeles decorativos, de estucos y de cuadros. Lamía sin cesar, animalmente, como lamen los perros los huesos resecos en busca de una sustancia mínima que les aplaque el hambre. De pronto tuve la sensación de que me había equivocado, de que aún quedaba algún resto por devorar. Y descubrí en su mirada la decisión de ir a por ese resto, y también un punto de extraña conmiseración, un principio de amistad frenando un deseo.

También sentí de una forma decidida y profunda una total conmiseración por aquella presa que sería yo mismo. Pensé en matarlo, disparar sobre él, sobre su forma homínida y terrible, la escopeta guardada durante tantos años. Pero rechacé aquel final, demasiado cinematográfico, demasiado guión, demasiada novela. Me encontraba feliz ante un mundo caótico pero también elemental. Ya era parte del caos, así que me aproximé a la puerta, la abrí y con un gesto servicial le indiqué la salida. Después ni siquiera tuve interés en verlo desnudo entre la gente por la calle. Empecé mi labor, pegué la lengua a la pared, y lamí lentamente.

EL MILAGRO

De noche se asomaba al balcón de la vieja casa y se le aparecía el mar. No era un fantasma ni un espejismo, era como una película milagrosa, como el final de *Amarcord*, pero con estrellas y música de fondo, una orquesta de violines y violas; sin embargo, de día, al asomarse al balcón que daba a un seco pasaje de un suburbio cualquiera, sólo hallaba frente a sí la estúpida tristeza de lo árido, y ella, entornando los ojos, mientras arreglaba la jaula de un precioso canario de Malinas, rezaba para que también, al amanecer, se le apareciera el mar; pero sus súplicas no eran atendidas y había de esperar las horas mágicas de la noche.

El mar en sus visiones nunca era el mismo. Era como una serie de tarjetas postales en las que una mano habilidosa hubiera trucado los azules, encendiéndolos, haciéndolos casi imposibles. Había mares mansos y océanos bravíos;

y, a veces, había aguas de inesperados colores, tal si un arco iris caprichoso hubiera bajado a bañarse en ellas. Pero la mujer se contentaba sólo con la idea simplísima de mar, sin prestar demasiada atención a las singularidades que lo adornaban en cada aparición.

Los otros, los huéspedes de la casa, conocedores únicamente de una apariencia hecha de polvo y calles, temían que la mujer acabara por arrojarse a una visión tan querida, y no sabían que a ella le era suficiente con soñar azules hasta el alba.

LA PEQUEÑA MODELO

Tuve la impresión de que el estudio estaba vacío. Un momento propicio —pensé— para indagar todo lo que tuviera referencia con la modelo: una niña que había acaparado, hasta el agotamiento del público, los espacios más tiernos de la publicidad infantil.

La luz, discreta, buscada de propósito, lograba simplificar volúmenes, rehuir sombras y dar a lo más lejano, una agobiante sensación de proximidad.

Me gusta provocar el eco en las casas deshabitadas, y, por analogía, di un grito absurdo, histérico e inmotivado, frente a los telones suavemente pintados que el fotógrafo atesoraba por simple coleccionismo. No ocurrió nada. Quizá mi voz se había perdido una vez más entre los espejos que con forma de biombo se abrían a un pasillo interior de mármol muy gastado. Entonces creí ver, allí en el suelo, la flor pisoteada de un heliotropo. Había algo de fósil en su fragilidad herida. Era como una huella intentando perpetuarse en el mármol. Los pétalos se repitieron una y otra vez, como una indicación por el pasillo. Al poco perdieron la referencia floral para ser sólo gotas de un rojo vivísimo, gotas de sangre. Y decidí llegar hasta el final.

Tuve la impresión de que el pasillo se multiplicaba. Me parecía caminar por un espejismo insoportable; cuando las gotas señalaron una puerta, la abrí.

En una habitación pequeña, decorada en tonos sepias, estaba la niña. La reconocí de inmediato; mas nunca la hubiera imaginado en aquella actitud. Grosera y descarada, devoraba, sin observar ninguna de las reglas convencionales del arte del buen comer, un chivito. El animal estaba aún vivo y balaba si cesar. Le arrebaté de un golpe a la víctima, y me apresuré, arrojándola desde la única ventana de aquel cuartucho a un patio interior, a aliviar sus sufrimientos. Hecho, la miré atentamente. Estaba más pálida que nunca, y también su traje, el disfraz de niña pobre, aparecía manchado de sangre. Intenté hablar con ella, mas su vulgaridad me contuvo. Empezó a reír. Lo hacía a carcajadas, convulsivamente como lo hubiera hecho una vieja prostituta. De pronto se serenó. Sus ojos oscuros se llenaron de lágrimas:

—Sáqueme de aquí —suplicó con la voz que yo deseaba para ella—, nada me aburre tanto como la sonrisa de un gato sin cuerpo y los conejos impertinentes. Los espejos son fríos y a veces tienen manchas desagradables. Sáqueme de aquí, no quiero ser Alicia ni un minuto más, y menos la musa de un pastor morboso y aburrido.

EL JACARANDÁ

Era adicto al árbol. Nadie ha amado tanto a un árbol como este joven amaba al jacarandá, que una vez al año teñía de violeta indefinido, quizá lila (color de la añoranza, solía decir), el parque al que siempre, de par en par, se abría el balcón de su alcoba:

—También la tarde es violeta, y los pájaros, y el rocío, y la gente que pasa, y mis manos, ¡mirad mis manos! —y las enseñaba a cuantos convivían con él.

Fue un siquiatra, enemigo de la poesía, el que desaconsejó la relación del muchacho y el árbol: Una relación —dijo— viciosa. Y el jacarandá fue podado, mutilado de una manera atroz. Mas esa primavera, sus flores fueron de un azul decidido, y también las mariposas que revoloteaban a su alrededor, y los gestos de sorpresa ante su hermosura, y la luz que invadía la casa. Y, a diferencia del daltónico, incapaz de entenderse con los colores, para él todo fue azul.

Molesto el siquiatra por su fracaso, dispuso, subiéndose en una silla para subrayar su poder, que el muchacho fuera llevado a otra habitación, la última, aquella a la que van a dar todos los pasillos, un lugar sin ventana, sin paisaje, sin atardeceres ni árboles. Allí se le oía suspirar y decir palabras ininteligibles que todos supimos de inmediato se trataban de poemas de amor a su árbol. Sólo cesaba la angustia cuando de noche la niña de la casa, con pasitos cortos y la melena suelta le llevaba ramas del jacarandá. Entonces él se dormía y soñaba unas veces que acariciaba al jacarandá, otras que besaba a aquella muchacha única, y las más de las veces que un siquiatra soberbio le perseguía.

EL IMPASIBLE

Era adicto al espejo. Ya nada le importaba, ni los recuerdos del pasado, ni las tentaciones diarias lograban apartarlo de su obsesiva actitud contemplativa. De día, sentado frente a él, aprovechaba hasta el último instante de claridad; y de noche, luces artificiales y focos le asistían en su fijación. Frecuentes desgracias sucedieron en su entorno, y fue indiferente a todas ellas, como si, ni siquiera, una lágrima, un gesto que no fuera posar ante su propia imagen, pudieran distraerlo de este menester. Tampoco sentía el dolor en sus facciones, ni en su rostro devorado lentamente por el espejo. Sólo, rara vez, un sueño de espejismos le aturdía. Soñaba con una hormiga leona, con el cono de sombra donde vive y aguarda la hormiga leona.

EL INÉDITO

Por urgencia de un viaje y falta de previsión por mi parte, me vi precisado a dormir una noche en la habitación donde también lo haría un extraño individuo. Al desnudarse, grande fue mi sorpresa al descubrir que tenía grabado en la espalda el capítulo de una novela.

Decidí abandonar el viaje e instalarme en aquella pensión. Así, noche tras noche, fui descubriendo el contenido de una obra apasionante que se extendía en minuciosa letra tatuada por el pecho, los brazos e incluso las muñecas de aquel ser que empezaba a parecerme prodigioso.

Supe que era este escritor o este libro (la duda, razonable, se resolvió a favor de lo primero) hombre desconfiado, de pocas relaciones y temeroso de que alguien pudiera plagiar una obra lograda tras tantos años de esfuerzos.

Un día no pude contenerme y le pregunté:

—¿Y el tatuador, no teme al tatuador, no le

angustia la posibilidad de que sea un desaprensivo, alguien capaz de reproducir letra por letra la historia por usted creada?

De inmediato me tranquilizó, pero lo hizo de tal manera que percibí cómo al explicarme las precauciones tomadas, se tranquilizaba una vez más a sí mismo:

—Elegí a un sujeto eminentemente artesanal, un analfabeto que, paradójicamente, tenía facilidad para el dibujo, especialmente para la copia. Se podía decir que aquel tatuador podía haber sido un falsificador de altos vuelos, mas el individuo hallaba cierto placer inconfesable en marcar cuerpos, le parecía que así los hacía suyos. Se limitó por tanto a reproducir unos signos sin entender su significado.

Mi amistad con aquel hombre y con aquel libro viviente llegó a extremos de permitirme no sólo que leyera la apasionante crónica (quizá una fantasía) grabada en su piel, sino que la releyera y hasta tomase apuntes cuantas veces lo deseara.

Hubo un momento en el que no sólo fui lector suyo, sino que participé de sus preocupaciones:

—¿No teme —le dije— que al morir usted, y con usted su cuerpo, se pierda también su obra?

Entonces sacó y expuso ante mí un testamento. En él se ordenaba que una vez le llegase el instante final, sus restos fueran embalsamados. Así se lograría—fueron sus palabras, cultas y a la vez trágicas— una edición única y... en piel. Dicho esto, la tensión fue tanta entre nosotros, que, para darle a la tarde un tono menos agrio, me suplicó del modo más amable:

—¿Le importaría leerme el capítulo que hay en mi espalda?, mi memoria no es buena y temo haberlo olvidado.

LA VENGANZA

La carnicería tiene ladrillos vistos y un falso aire de arquitectura inglesa decimonónica. Algunos turistas inexpertos en cosas de arte y estilo, suelen fotografiar su fachada, y hablan de ella al volver a sus países de origen como suele hablarse de las viejas farmacias. No obstante, son pocos los que se interesan por las piezas que guarda en su interior. Tampoco el carnicero, que por las mañanas es matarife en un matadero clandestino, sabe apreciar —salvo uno— todos sus trofeos. Aquí el cliente caprichoso encontrará las deliciosas pechugas de colibrí, cuya autenticidad es demostrable, no por lo minúsculo de su tamaño, sino por el brillo metálico y tornasolado que las caracteriza; y también puede degustar el muslo de ave del paraíso. En ocasiones, derramado en un rincón del local, el solomillo de rinoceronte de un gris pálido inconfundible (gris báltico suelen llamarle los conocedores) sobre un fondo de púrpura imperial, está a disposición del verdadero gourmet. Más discreta, se ofrece la criadilla del elefante asiático a la que sólo acuden tímidos caballeros de decaídas energías. Pocos saben que el corazón de cebra presenta las mismas rayas que adornan la piel del animal, y que estas rayas tienen sabores distintos, dulces las más claras; amargas las que representan el poder de las sombras. Aunque parezca inusual, aquí también se vende la carne del toro de lidia, pero sólo la de aquellos animales que hayan causado la muerte a algún torero afamado. Dicen que esta carne descubre al paladar el sabor de la tragedia y que el que la prueba suele llorar extrañas elegías. Al exilio de un rey se reserva el dorado filete de jirafa que da a quien lo come arrogancia y sueños de retorno.

Pero nunca enseña el carnicero la pieza más querida. Todas las noches, antes de dejar caer los cierres y apagar las luces, baja este hombre a la cámara frigorífica. Allí, colgada como el buey de Rembrandt o el toro de Bacon, ajena a otros trofeos, la cabellera aún con cierto encanto, la mirada como un mar lejanísimo y la sangre coagulada en permanente frescura, la amante infiel permanece ajena al tiempo y al negocio, como un recuerdo que su asesino quisiera retener para siempre. Y él la mira, todas las noches la mira, incluso los domingos y días de fiesta regresa para contemplar una vez más el brillo (ahora helado) de sorpresa en sus ojos.

LA PERSEGUIDA

Apareció tras el jardín, allí donde el ginkgo biloba sigue siendo una rareza en solitario:

—Es la perseguida del viento —me dijeron. Y confundía su rubia cabellera con una parra que octubre fuera cubriendo de oro—. Sólo oye la voz del viento —me aseguraron. Y yo le silbaba como silbo a los pájaros; y ella, en días muy señalados, me respondía con silbidos que alteraban en el cielo el rumbo de las aves. Nunca pude estar cerca de ella. Parecía huirme, mientras una ráfaga de viento le hacía ir de una calle a otra como una sonámbula seducida por una pasión secreta.

Cuando los días eran de calma y los árboles se cansaban de mantener en quietud el mundo pequeño y pendular de hojas y frutos, la perseguida se acurrucaba desnuda al pie del ginkgo biloba y se limitaba a juguetear con los gatos que poblaban el jardín.

Su total indiferencia y sus ocasionales huidas me cansaron, y la abandoné (si la expresión cabe referida a quien nunca estuvo con nosotros). Sólo los silbidos seguían confundiéndome, hasta que comprobé que también respondía a los pájaros y a los niños que al pasar cerca de ella le silbaban por costumbre. Fui yo el que huí de su geografía pequeña y asfixiante. Ahora vivo en una aldea que linda con el mar. Sólo cuando el viento arrecia, no cuando hay galerna ni tampoco cuando la tempestad dramatiza el mundo de las aguas, sólo, insisto, cuando el viento arrecia, sueño con volver, con seducir a la antigua muchacha. Entonces añoro que las olas se calmen, que el olvido ejerza sobre mí su acción benéfica.

EL PÁJARO ENEMIGO

Solía esconderse entre la vieja cacharrería de la casa. En el pequeño Museo de Ciencias (próximo a la biblioteca), donde le era más fácil pasar desapercibido, adoptaba actitudes impropias de los de su especie. Nos odiaba y nosotros también le odiábamos.

—No es bueno —dijo el Niño con aire de improvisado filósofo— convivir bajo el mismo techo con un pájaro terrible.

Por un equívoco alguien trajo el huevo, un oscuro hallazgo entre las rocas de una montaña perdida:

—Es un fósil —diagnosticó el Profesor, alzando soberbio un dedo. Sólo la insistencia y tenacidad de la cocinera y su horno, hicieron posible el milagro de la vida. Nada más abandonar el cascarón manifestó su agresividad, y, lentamente, tal si experimentásemos un texto de Cortázar, le vimos ocupar una a una todas las habitaciones del destartalado edificio.

Otoño fue el tiempo de sus primeros días, un tiempo de odio furioso y de acciones odiosas para cuantos vivíamos en la casa. El Profesor, su resuelto avalista, volvió a intervenir:

—Consideren —dijo— el comportamiento de esta ave, pariente de dinosaurios y animales prehistóricos, consecuencia de una filosofía, que, aun distinta a la nuestra, debemos respetar. Hecha la declaración, decidimos defendernos como pudiéramos de la furia de aquel ser horrible y de sus panegiristas.

La primavera acentuó la gravedad del caso, añadiendo a las sevicias del animal los gritos de una libido desconsolada. Fue cuando resolvimos acabar con el asunto, y llamamos al ángel.

Más que ángel parecía un músico. Después de saludarnos abrió su maletín de cuero, y, sacando del interior un rifle, lo montó con destreza. Al vernos sorprendidos, comentó en voz muy baja:

—Han cambiado últimamente las técnicas. Ni siquiera en lo infinito las cosas permanecen ajenas a las modas.

Y dicho, inmediatamente hizo sonar el disparo.

Tres años han pasado ya de un safari único.

Día y noche se oyen por la casa los pasos sigilosos del ángel, y también día y noche se escuchan los graznidos y el aleteo de un pájaro que huye en un juego incansable al escondite.

El Profesor se muestra neutral, y nos comprende. Cuando acabe esta guerra, le hemos prometido entregarle la cabeza del ave, para que su maldad brille, disecada, en medio de su inocente colección de pinzones.

EL VIEJO LETRADO

Hube de esperar varias horas antes de que me recibiera. Sabía de su distanciamiento, y también de su fama: Era —se decía— un osado intérprete de las leyes. Se le acusaba de inventarlas o presentarlas de tal modo que, fácilmente, sus contrarios eran inducidos a error. Sus palabras —se comentaba— nacen para ser libros, títulos, capítulos... Sus palabras —aseguraban otros— tienen sonoridad de equívoca exactitud. Nadie, sin embargo, se hubiera atrevido a llamarle sofista. Sólo una anciana que aguardaba ser recibida, abandonando su labor se atrevió a murmurar:

—No pierda el tiempo, ese hombre no existe.

Ahora, ante él, no sabía qué decir, aunque tampoco parecía necesario que hablase, pues, hundido en su sillón, casi todo sombra, con un gesto me contuvo.

Pasaban los minutos y nada ocurría, hasta

que, sigilosamente, de entre la biblioteca, se abrió una puerta, y por ella, impropio del lugar, entró el caballo. Negro, llameante y nervioso, se movía, no obstante con cuidado por todo el despacho, evitando causar cualquier estropicio, y procurando no rozar los fueros, las viejas ediciones, los códigos secretos de contrabandistas, las normas que rigen las conductas de algunos falsarios, las leyes de cetrería, las permisiones especiales para los abordajes en el mar...; y, ya en el centro del despacho, adoptando una postura de descarada arrogancia, se inmovilizó.

Fue entonces cuando el viejo jurista se alzó de entre las sombras, y tomando de una de las estanterías una caja con forma de libro, la abrió. En ella, los arcanos del tarot marsellés resplandecían la barroca existencia de los símbolos. El anciano, sin decir palabra, los fue colocando ante el bruto. De repente creí advertir en la bestia cierta actitud pensante. Al poco, para mi sorpresa, señalaba con uno de sus cascos una de las figuras; luego me miró terrible y, sin más, salió por donde había entrado.

Fueron unos minutos muy tensos que el letrado rompió con esta indicación:

—No cuente nada, no diga nada a nadie.
—Y sin permitirme explicarle la razón de mi vi-

sita, terminó sus palabras—: Desaconsejo el ejercicio de cualquier acción. Limítese a no obrar.

Antes de salir de aquel extraño despacho tuve deseos de hacer algunas preguntas en relación con el caballo. Un raro presentimiento me hizo callar. Estaba seguro de que las respuestas se volverían preguntas:

—¿Qué caballo, de qué caballo me habla?

EL ÁRBOL

Los últimos años de Eva fueron de una insensata y emocional imitación del Maestro. La desmemoria de una mujer, en otro tiempo encantadora, podía ser también causa de aquella apropiación de las más brillantes imágenes del hombre con el que había convivido más de treinta años.

El respeto al Maestro, y lo que ella misma había significado en su vida y en sus escritos, nos impedía recriminarla por su conducta. Curiosamente, sus textos presentaban, en contraste con la obra de la que dependían, una grisura y una falta evidente de inspiración muy contraria al desbordamiento sin límite que se apreciaba en ésta.

Cuando empecé a frecuentarla se habían hecho evidentes en su rostro los signos de la atonía vital. Había dejado de escribir. Aunque nadie le había alertado, se diría que ella misma hubiera descubierto la insensatez de su propósito:

—Nadie es igual a nadie; y el genio es inimitable e irrepetible —susurró sin que yo le preguntara.

Había vuelto al ritual mayor de las ausencias. Lloró de nuevo al Maestro, y quemó sus escritos (los de ella), en una pequeña pira. Un gesto indio, pareció decir con la mirada. Y con fervorosa beatitud empezó a recoger los detalles, las reliquias de lo accidental de un hombre que detestó precisamente cuanto no fuera esencial y categórico.

Cuando murió el viejo gato, decidió confiarle su inmortalidad a un taxidermista experto en dar a lo inerme un aire de extrema elegancia. Y conseguido el propósito arrinconó al felino en lo más sombrío de la biblioteca.

—Quizá le hubiera gustado hacer algo parecido con el Maestro —comentó sarcástica la mujer que la atendía.

Hablábamos insistentemente del hombre. Era el único tema, más que permitido, exigido a sus visitantes, y un día me oí preguntándole por *El Árbol*, la epopeya cósmica en cuya creación se había agotado el corazón del genio.

—Sígame —me indicó misteriosa, y, tomándome de la mano, me condujo a la zona íntima de la casa, a la nunca frecuentada por los discípulos. Tal si fuera una sacerdotisa del acto mismo de la inspiración, recuperó súbitamente la arrogancia de antaño y la importancia de haber sido la musa de un poeta histórico. Anduvimos por angosturas tapizadas de libros. Me dio a conocer el *Fetario* (llamaba así a un cuarto donde, ordenados y fichados, se hallaban los atisbos de la creación no cumplida del todo), y al fin abrió la puerta.

Como un milagro, ajena a la propia materia que la obligaba a ser frente a la luz, la sombra, sólo la sombra del árbol se alzaba corpórea en el centro de una habitación sin huecos ni salida a lo exterior.

Nada dije. También ella me acompañó en el silencio durante unos minutos, y ya, obstinada, volvió al discurso que como siempre en ella concernía a la accidentalidad de lo grandioso:

—Al principio —hablaba casi en un recitativo trágico— intenté expulsarla (se refería a la sombra); así que ordené cerrar —puede verlo— cuantos huecos abrían la habitación al jardín, pero fue inútil, y ella (nuevamente intentaba eludir la palabra sombra) permaneció en una tenaz guardia. Después quise destruirla, pintarla o teñirla con un blanco luminoso, y todo sin re-sultado. He tenido que resignarme, y lo que es aún peor, debo soportar que florezca todas las primaveras.

Y al mirar el suelo, viendo las siluetas de las magnolias, me di cuenta de que ya era primavera.

LA CIUDAD CERRADA

A Antonio Soler

Por los caminos del desvarío llegué a una ciudad de la que me habían hablado:

—Es —me dijeron— el antagonismo de cualquier utopía, y en parte lo es así por la soberbia de su gente, convencida de vivir en el canon de todas las perfecciones. Tras una temporada de deambular por sus vacíos, comprendí que la optimista valoración de aquellos desdichados era la última consecuencia de su propio miedo. Y también entendí la bondad de los geógrafos de la ciudad de los teoremas y la luz, lugar del que yo procedía, al poner todo empeño en negar su evidencia en planos y mapas. Quizá esta omisión fue la causante de mi viaje a una urbe que la razón rechaza.

Recuerdo que, ya de muchacho, intuía la

existencia de la Ciudad Cerrada. Entonces inventé para ella cuantos placeres y fantasías la imaginación concibe. Pensé que un arco iris permanente adornaba su entrada. El deseo la proveyó de gente tan hermosa que el bien común obligaba a los jóvenes a posar desnudos en calles y plazas para recreo de los ancianos. Por último la doté de una fauna riquísima nacida de mi fiebre de contemplador de láminas miniadas y rarísimos bestiarios.

Estaba decidido a alzar un plano de esta ciudad a la que empecé a llamar tierra de los poetas. Al poco decidía modificar este título, pues ¿cómo podía haber poetas en un lugar cuya perfección era tanta que su única celebración estaba en su propia realidad? Ninguna metáfora, ningún adjetivo añadiría nada a aquello que por sí mismo era perfecto.

A medida que me acercaba —así lo intuía— a la meta propuesta, descubrí, cosa extraña, que la flora del camino se empobrecía y que donde hacía unos instantes hermosos árboles nos brindaban sombra, ahora, enfermizas y descoloridas, las higueras estériles empobrecían lo que yo había imaginado una avenida renacentista construida con mármoles, ágatas y pórfido. No obstante, mi temperamento optimista me hizo entender que toda aquella pobretería no era más que los preparativos, en fuerte contraste, de la fortuna que me aguardaba.

Pensaba, una vez regresara a mi tierra, y para el caso de que la añoranza impusiera su tiranía, escribir un libro de viajes en el cual, a diferencia del de Marco Polo, nada debería inventarse porque todo me sería dictado por la realidad más fantástica que se haya concebido.

Cuando estuve cerca de las murallas (la ciudad —me dije— se oculta tras de ellas) mi desengaño fue grande, más aún cuando de una de las torres que refuerzan su linealidad, vi como alguien se arrojaba desde un balcón. Tuve la impresión (forcé la impresión) de encontrarme ante el fallido vuelo de una mariposa gigantesca, pero al aproximarme me encontré ante los últimos estertores de una monja, ¡de una monja suicida! Empecé a dar gritos por si aún aquella mujer admitía algún socorro y vi con cuanta crueldad se cerraban las ventanas de aquel convento (deduje que lo era por las celosías que guardaban los huecos de la torre). Estuve horas contemplando la imagen abierta y blanquísima de la figura muerta de bruces en el suelo. A veces, las manchas de sangre que salpicaban el hábito me recordaban las tristes rosas de soledad que adornan por una sola vez las sienes de las jóvenes novicias. También pensé que un alfiler le atravesaba la espalda recatadamente cubierta de cilicios, hábito y velo. E inventé a un curioso entomólogo aficionado a las monjas suicidas. Más sereno, me faltó, no obstante, el valor para darle la vuelta al cadáver. No quería aumentar mi dolor descubriendo, al caso, hallarme ante el rostro marchito de una muchachita equivocada y loca hasta la autodestrucción. Días más tarde supe que nadie recogería sus restos, pues tratándose de pecadores públicos, ateos y suicidas los cuerpos deberían ser devorados por las alimañas, las cuales, a su vez, sería inmoladas por la Brigada de los llamados Hombres Justos.

Nadie recuerda ya la fundación de la Ciudad. Dicen que un extranjero alzó en un páramo unas murallas. Otros llegaron y, viendo el entusiasmo con que se hacían estas obras, ayudaron a terminar de cerrar un recinto que en su interior nada guardaba. Al poco, aun conocedores de ser esto un pecado de soberbia, se declararon orgullosos del cerramiento de una ciudad vacía.

Grajos y cuervos cubrieron el cielo desnudo de este paraje. De inmediato se supo que aquello era antipático a las nubes porque envejecían y se secaban hasta parecer ubres marchitas por la edad. Lo más desagradable era el graznido de las aves sombrías, sin embargo, los fundadores estaban satisfechos de que las cosas sucedieran así.

Como fuera menester levantar algunas edificaciones para evitar la maledicencia de los pueblos vecinos, lo primero que construyeron fue un hospicio, al que llevar no sólo a los huérfanos sino a los hijos de los descarriados. Se alzó este edificio con las mismas directrices que se habían seguido para construir las murallas de la Ciudad, así que, en definitiva, lo que se tuvo fue una maqueta, un patio alto, casi un pozo en cuyo interior vagaban los niños sin más obligación que permanecer callados (a algunos se les permitía remedar los graznidos de las aves siniestras) y poner todo de su parte para lograr una levitación. A fin de facilitarles este propósito no se les daba comida, y aunque pronto mostraron síntomas evidentes de raquitismo, ninguno de ellos logró la levitación, muriendo al poco, lo que no pareció preocupar demasiado a los patronos pues proveyeron la «casa» de nuevos internos.

Tras estas experiencias constructoras decidieron erigir templos que también fueran viviendas. Los templos se estimaban en más o en menos según fuera su riqueza en reliquias, de ahí la costumbre que adquirieron los habitantes de la ciudad de descuartizar a los vecinos que morían. Trabajaban con la pasión de matarifes religiosos y, una vez distribuidos los órganos, apelmazaban la carne sobrante exponiéndola con suma devoción en sus altares.

En la Ciudad Cerrada se les enseña a los niños a no reír. Ni siquiera la sonrisa está permitida. Algunos niños, los tenidos por díscolos, se ocultan en alacenas y armarios perdidos en las casas para dar rienda suelta a la risa; mas como no están acostumbrados, lo hacen con tal escándalo —incurren en lo que suele llamarse risa sardónica— que al cabo son descubiertos. La verdadera dificultad se les plantea a los mayores pues no saben de qué manera castigar a los culpables. Nada pueden prohibirles porque nada les está permitido. Aquí no hay cines ni canales de televisión, han olvidado el sabor del regaliz y el gusto del caramelo. No tienen hámsteres ni tortugas de Louisiana y desconocen el arte de hacer volar cometas; por ignorar, ignoran, incluso, el juego elemental de las sombras chinescas. Castigar a uno de estos niños, insisto, supone todo un ejercicio de imaginación en y desde la caspa para sus padres y tutores. Sólo hay un castigo codificado. Se aplica a los jovencitos que, a hurtadillas, osan componer poemas y los recitan. A estos réprobos se les lava la boca con prosa.

Llorar también parecía excesivo. Un teólogo muy avispado halló en este caso una solución idónea para reprender a los llorones, así que se les hacía reír, mas como estaban muy condicionados contra la felicidad sufrían con un castigo tan horrible.

Desconocían el amor y la solidaridad y sólo hallaban algún placer en pensar en la muerte y en los graves castigos que habían de sufrir los pecadores en el mundo de lo escatológico.

Los pocos niños que no estaban recogidos en el orfanato hacían vida de familia muy parecida a como la hacen los otros niños del mundo. Antes de acostarse, sus madres les incitaban no sólo a cepillarse los dientes sino a que no olvidaran colocarse sus pequeñas coronas de espinas.

Supe de un muchachito al que, una primavera azarosa, le floreció la corona de espinas. Los padres, ante tal exceso, le denunciaron, acordándose, por quien tenía poder y jurisdicción para ello, que fuera expulsado de la ciudad. Y así se hizo, pese a las muchas lágrimas y ruegos del muchacho, quejas que eran contestadas por sus progenitores con expresiones como ésta: Hemos cumplido con nuestro deber. Gracias a nuestra decisión las manzanas (nuestros otros hijos) se verán libres del contagio de esta fruta podrida, así que ¡fuera, fuera!

Vi niños flagelándose unos a otros con moderada satisfacción por parte de sus padres, que les animaban a proseguir en un ejercicio que consideraban sano y deportivo. Habían fabricado, a falta de locales de espectáculos al uso, naves parecidas a las elegidas para las veladas de boxeo, y en este sitio, los sábados se daban combates de flagelantes infantiles. Y eran muy aplaudidos.

No era raro ver a los adolescentes acudir a sus mayores para enseñarles las llagas que aparecían en sus manos. Se advertía cierto espíritu competitivo en estos estigmatizados. La comunidad contaba con un experto en laceraciones, un sabio que era tenedor de la única regla que había en la Ciudad. A este experto le estaba confiado clasificar las llagas. Las de los niños muy pequeños se llamaban de leche, y, nada más florecer, los padres regalaban al afortunado con algunas migajas de pan y cuanta agua quisiera.

Por el contrario, aquellos que llegados a la pubertad no manifestaban estas laceraciones eran conducidos a las puertas de la Ciudad y expulsados de ella para siempre.

La Fiesta de la Proclamación de Lacerados reviste gran importancia. El pueblo se reúne en un templo usado en esa ocasión como teatro. El alcalde, con voz de sonora humildad, lee el nombre de los aspirantes al título. Nadie osa presentarse por sí directamente, es la agrupación a la que pertenece el candidato quien hace valer su candidatura. Tras una discusión que se prolonga hasta bien entrada la noche, y tras consultar al sabio de la regla, la asamblea proclama al que considera con más méritos. Se trata de exhibir la llaga más grande de todas. El dopaje es causa de inmediata descalificación. Está permitido, por el contrario, el uso de cuñas que ensanchen el vacío de la que ha de ser la llaga vencedora.

También en ese día se permite que intervengan danzantes con sus tamboriles y con sus... flagelos, pues de eso se trata, de escamondar la piel a latigazos sin parar de bailar. Suele el público animar a los timoratos y asustadizos que llegan a entusiasmarse con tal frenesí que en más de una ocasión ha muerto algún flagelante.

Como en las peleas de gallos, en las que es lícito colocar espolones de afilado acero allí donde las aves guerreras tiene los suyos naturales, el día de la fiesta, mejor será decir la noche de ese día, las madres aconsejan a sus hijos menores —cuando van a ir a dormir— reforzar el afilamiento de sus coronas con espinas metálicas.

Para evitar excesos en estas mortificaciones, se cuenta con un órgano colegiado, en el que tres teólogos se encargan de averiguar si alguno halla placer en practicarlas, pues nada es tan temido como la presencia de masoquistas en la grey, tanto que se les tiene por rojos e infiltrados. De descubrirse en alguna ocasión gente de tal calaña se les castiga no sólo a no castigarse nunca más, sino a ejercitarse en acariciar pieles de conejos y palpar pétalos de rosas artificiales (naturales en la Ciudad no florecen).

Suele concluir la noche de la fiesta con un acto coral en el que se les permite a los transverberados que chillen a su gusto. De final, algunos levitadores se elevan simulando ser globos de feria, y todo ello para solaz y recreo de unos niños que, habiendo elegido el deber de la mortificación extraordinaria, nunca asisten a ese simpático acontecimiento.

Es costumbre en los años bisiestos que se convoquen concursos literarios, y ello con libertad tal, que siendo el tema obligado: El Martirio y los Mártires, es lícito inventar vidas de santos siempre que sus martirios se imaginen con crueldad extrema, aquella que permite probar la fe a quien la padece. Al valorar los trabajos se puntúan favorablemente las faltas ortográficas, pues del mismo modo que en la Inglaterra parlamentaria resulta adecuado y propio que los oradores, aun a costa de lo que quieren decir, carraspeen y tartamudeen a cada instante; en la Ciudad, este tipo de falta se atribuye a la humildad moral del que escribe, que así manifiesta su deseo de no sobresalir en gramática ni ortografía, y sí de triunfar, en favor del bien común, en mortificaciones.

Para desintoxicarme de los asuntos de una gente que no llego a comprender, paseo por el vacío de la Ciudad. En esos momentos suelo imaginarla dotada de jardines y parques, de bosques poblados de ardillas y nerviosos gorriones. Se trata de un espejismo. Aquí todo eso sería imposible. El polvo, la insistencia en el polvo, la miseria de verlo arrastrarse de un lado a otro sin hallar un punto donde anidar (suele ignorarse que también el polvo anida y cría, y la caspa y la miseria) es el único entretenimiento ajeno al dolor que la ciudad ofrece.

He contactado con algunos disconformes, gente silenciosa que, con economía de palabras, me hablan de una ciudad vecina. Es de cristal y transparencia y elegantes teoremas la sostienen. También esta ciudad ha padecido la incomprensión y la tiranía de lo fanático, mas siempre —y esto suelen celebrarlo— la razón se ha impuesto y la pluralidad ha vuelto a sus cauces. Ellos ignoran que yo vengo de esa ciudad que es como un sueño italiano. Ignoran que allí explico humanidades, y que en mis ratos de ocio les hablo a mis discípulos de la felicidad y del placer que hay en contemplar la belleza. Ellos se limitan a desdibujar su realidad, a exaltar su deseo y, mientras, con olvido de cuantas cosas han de padecer como naturales, contemplan (también está prohibido) el polvo en su inútil esfuerzo por escapar de las murallas que lo encarcelan. Y lo miran con la misma disposición de ánimo con que los jóvenes amantes ven arder las nubes en las horas inexplicables de los atardeceres. La rebeldía de estos me emociona; pero cuando trato de ayudarles, de facilitarles los medios para huir de un destino tan férreo se niegan. Les es imposible concebir que lo que ellos piensan y yo les cuento pueda tener una sustancia más sólida que el sueño y el deseo.

Una tarde, cansado de todo aquello, me atreví a preguntarles:

—¿Y la libertad?, ¿dónde la libertad? —Un grupo de disconformes me hizo una seña perentoria, invitándome a acompañarles. Anduvimos entre el polvo hasta el cansancio, y fue mucho mi estupor cuando, próximo a la muralla del norte divisé algo que en la distancia me pareció un campo de investigación eólica. Al poco salí de mi error: estaba ante un número reducido de altísimas columnas de barro—: Ahí tienes la libertad por la que preguntas —dijeron a coro mis acompañantes. Y la memoria me trajo el argumento de viejas estampas. Supe que me hallaba ante los verdaderos estilitas, ciudadanos que habían elegido la mínima extensión de un capitel para vivir en ella. Encontré entre estos titiriteros del ascetismo gente verdaderamente voluntariosa. Los que tenían vértigo se arrepentían inmediatamente de su decisión. A éstos se les facilitaban paños para cubrir los ojos, y nada más. Viéndolos allí, en su altura, los imaginaba como banderas de un país que había renunciado a tenerlas porque quien debía reconocerlos lo haría con o sin ellas. Observándolos, al cabo de algún tiempo descubrí la diferencia que hay entre las estampas que yo tenía de niño y la realidad de estos seres. Algo me trajo a la memoria la desdichada imagen de un gorrión que descubrí una mañana en el jardín de mi infancia. Un ave depredadora lo había crucificado en un rosal de reserva alimenticia para los días difíciles. La asociación tenía que ver con la muerte, y es que todos aquellos desdichados estaban muertos. Eran como veletas de pergamino de un cárdeno muy oscuro que el viento de siempre movía con suma facilidad—. Ahí los tienes, ellos eligieron la libertad de vivir en las alturas, y nosotros la de dejarlos hacer. Nunca nos ocupamos de ellos, ni nunca les trajimos comida. Son libres, nos decíamos, para bajar y conseguirla cuando quieran. El orgullo pudo más en ellos. ¡Contémplalos y medita en la utilidad de la libertad y sus fantasmas!, y —concluyó de hablar el que parecía más decidido de todos— ahora sirven a la Ciudad Cerrada haciendo de espantapájaros, ellos son los encargados de ahuyentar y amedrantar a los ángeles rebeldes. Mas otro del grupo se creyó con derecho a ampliar la información—: No pienses —dijo con voz ronca— que cuantos ves ahí arriba subieron en busca de la mortificación, camino único de salvación, algunos también lo hicieron para tener su propia columna, por el vicio horrible de ser dueños de alguna cosa, como si no les bastara con el suelo para arrastrarse; otros por la vanidad de llamar la atención, incluso por motivos libidinosos; también los hubo que se hicieron subir por la insolencia de destacarse en lo penitencial, esperando el aplauso que nunca dimos a nadie, y tenemos la sospecha de que uno lo hizo para sentirse pájaro. Precisamente es aquel que abre la boca (yo sólo veía unas fauces horribles) intentando en su voracidad y gula atrapar algún insecto.

Saben que voy a abandonarlos, y lo entienden. Cuando está próximo el día, uno de ellos me descubre, cerca de la muralla del oeste, una pequeña casa, toda ella de piedra. Su trazado recuerda el nido de algunas ametralladoras en las trincheras de una guerra ya olvidada. Del único hueco, una línea fina que se abre al exterior de esta mole, se oyen continuas quejas y voces de socorro. Mi acompañante me explica en trance de agitación: Se trata —susurra— de la Casa de las Emparedadas. Mujeres que nunca más volverán a ver la luz. Son las heroínas del dolor y las mortificaciones. Para purgar sus faltas y pecados deben arrastrarse en una noche perpetua; luego —al menos eso es lo que les dicen— se verán libres de culpa y también participarán de la dicha luminosa de la luz. La agitación de este individuo al explicarme todo esto es cada vez mayor. Y añade: Si están enfermas, o si un cólico nefrítico o un dolor de muelas las persigue hasta hacerlas enloquecer, nosotros —como los ecologistas— no debemos interferir en el asunto. Y si alguna vez (cosa que ocurre con frecuencia) piden ser liberadas de la promesa que las mantiene en este infame lugar, no hemos de hacerles caso, pues su petición debe entenderse contraria a la lucidez de la voluntad que las indujo al bien de ser emparedadas. Acabado su discurso, el hombre, arrasado el rostro de lágrimas que el polvo va amasando hasta convertirlas en lodo, me explica con voz agónica: La que grita fue antaño mi mujer, y me fue infiel de pensamiento, por eso debe permanecer aquí. Yo no intervengo, por su bien no debo intervenir. Quisiera derruir este monstruo de piedra y llevarla conmigo allí donde con tanta gracia fuimos felices, mas no debo hacer nada. Por su bien no debo hacer nada.

Fue entonces cuando resolví dejar la Ciudad, encaminar mis pasos hacia donde toda duda es razonable. Al marchar sabía que la Ciudad Cerrada me seguiría, que pugnaría por surgir ocasional y terrible en mis sueños.

No es fácil visitar la Ciudad Cerrada. Sus habitantes, temerosos de viajeros inoportunos, no hacen dípticos ni trípticos de propaganda turística. Y si alguien, como fue mi caso, aparece en ella por casualidad lo ignoran y le vuelven la espalda. Afortunadamente no les obligan a intervenir en sus diversiones y recreos.

EL HUÉSPED
DE LA CASA ALTA

A Gumersindo Ruiz

Insistía en que paseásemos entre los acantilados. Creo que tenía horror a acercarse a la playa.

—La playa es sólo distancia —y volvía el rostro, al decirlo, fingiendo observar el vuelo planeador y monótono de las gaviotas.

—¡Sólo distancia! —protestaba, intentando justificar su desinterés por la playa—. No, no es buena —añadía, dándole valores humanos y pretendiendo asumir un juicio contrario a su desvarío.

Entonces ya conocía la historia de su sueño (uno sólo). La impresión que me causó me hizo soñarlo a mi vez: —Es —recuerdo haber comentado— como un trasplante. Me refería al hecho de recibir algo ajeno, aunque se tratase de una visión. Y no quise decir nada más, temeroso de que mi interlocutor pudiera igualmente sufrirlo. Cuando me insistieron, opté por cambiar de argumento, esa sustancia borrosa y manipulable. Dije que una gaviota terrible, un ave gigantesca intentaba arrastralo al mar, hundirlo en un mar denso y de un índigo gelatinoso. Un índigo devorador. Me limité a atribuirle el papel de protagonista, y oculté todo lo que tuviera relación con el sueño contado.

Una tarde, como si adivinara mis elucubraciones, me dijo:

—Nunca he visto el mar. —Supe que de inmediato lo gritaría una y otra vez. Conocía sus extrañas obsesiones: Las cosas que se gritan dejan de existir. A veces, cuando me encontraba poco atento, creyéndome víctima de alguna preocupación, me insistía—: ¿Por qué no la grita? —y repetía cada vez más alto—: ¿Por qué no la grita?

Tenía por costumbre iniciar cada amanecer un paseo desde la Casa Alta hasta el vértigo indeciso de los acantilados, y cuando parecía que el mar iba a ser un destello, una certeza, cerraba los ojos:

—Hay cosas que no debieran existir —murmuraba con voz rota de tanto gritar. La playa era otro tema. Aun odiosa, la playa estaba abajo esperando su temor y su negativa.

Durante la primera época de su internamiento, un par de celadores le seguían temerosos de que pudiera atentar contra su vida, poniendo así término a unos ingresos fijos para la Casa Alta.

—Los asusto con matarme —me confió—, y ellos se apresuran a evitarlo pues temen perder los beneficios que mi estado les depara.

En las horas más hermosas volaban las cometas. Las veíamos brillar en la lejanía balanceándose en el aire como inmensos pájaros del mar. En ocasiones, la brisa traía las voces de los niños. Él parecía querer desentenderse de ellos. Al poco entornaba los ojos, hasta que, inexplicables, venían las lágrimas. También yo experimentaba una sensación muy especial, no por las cometas ni por las voces. Lo sentía por el llanto, y permanecía en silencio, más que testigo, cómplice de extrañas emociones.

Para él, la locura era un estado de ánimo y también un color. Una variedad de azules inconcretos que había que sacar a la luz para definirla.

Decía cosas inesperadas y estremecedoras. Una tarde, hablando de la Casa Alta, empezó a gritar. Tardó en serenarse: —Grito —me dijo— para borrar la Casa Alta. De inmediato, no sin tristeza se corrigió: —Es inútil gritar por ella, después vienen las lágrimas y la vuelven a traer. Los gritos —insistió— nada pueden con las lágrimas.

Yo sabía que esperaba el llanto.

A su manera, amaba y odiaba las cometas.

Cansado de ir con él de una a otra parte, su presencia empezó a aburrirme:

—Acabadas las obsesiones, la locura termina por ser plagio —me explicó un afinador de la lógica, mostrándome algunas páginas de un viejo libro de medicina.

Debió intuirlo. Incluso aseguraría que pretendió darle un tono jovial e innovador a sus desvaríos. Mas todo fue inútil. A cada instante tropezábamos con las voces, la inexistencia del mar, la manía de los acantilados y todo un mundo de desconcierto entre pandorgas y gaviotas, voces y brillos.

—La locura obliga a ciertas fidelidades —murmuró.

Un día decidí abandonarle. Eso equivalía a bajar a la playa. Al volverme para despedirme lo vi haciendo mohines, y sentí vergüenza. Estaba disimulando, intentando una vez más ser fiel a las normas de la Casa, un reglamento que parecía no disgustarle del todo. No hacía mucho le había oído decir: —Un enfermo debe ser leal a su diagnóstico y también a ese destino que en medicina se llama pronóstico. Adoptaba en este discurso aires patéticos de moralista ocasional con expresiones parecidas a esta: Un país en el que los enfermos contradigan las profecías de los oráculos está condenado al caos.

Sin embargo, nadie más que yo le escuchó decir:

—El caos, esa puerta abierta a un mar posible.

E inicié el camino. No se me ocultaba que en el teatro de los sueños había de pagar mi deslealtad. Seguro que esa noche se me presentaría pálido y sudoroso, crucificado en su propia locura.

Pero lo importante era llegar a la playa.

171

Por un momento tuve la impresión de ser yo, no el que huye, sino quien, apartándose de su destino, acaba por ser el abandonado.

—Ante todo es el movimiento —me dije, tratándome como si fuera un *boy-scout* precisado de estímulos—. Después —pensaba como un presocrático— será necesario dividir cada mitad del recorrido por sus mitades infinitas para llegar a ese sitio que tan de repente deseo.

Creía, como una regla áurea y no como una tentación sofista, que a la mediación de todo camino hay una casa. Estaba seguro. Nada más dar la vuelta a los acantilados debería encontrarla como un añadido imprescindible al viejo paisaje. Nunca, en cambio, me hubiera atrevido a dibujar su bulto ni sus detalles. Imaginar cosas encierra una especie de compromiso por el cual los secretos del carácter y las debilidades que configuran la personalidad de quien las dibuja se descaran fácilmente. Me era suficiente con su certeza, y podía prescindir de sus concretos límites hasta que yo mismo no fuera realidad en su entorno.

Suelen los perros con sus ladridos y su furia prevenirnos del alma de las casas. Pero allí no había perros; sueltas, eso sí, las cadenas herrumbrosas serpenteaban por un empedrado al que se abría la austeridad de un atrio.

Dudaba la impresión entre la severidad y la austeridad. De todos modos estaba ante un inmueble, una finca de aire romano que a mitad de camino parecía arder, gracias a la confusión provocada por el esplendor violáceo de una buganvilla trepadora por ladrillos y cales.

Después ya todo fue puerta. Sugería el portón entornado la imagen de un río secreto que obligara a navegar a contracorriente. Hice un gesto —fue sólo una prueba— para intentar cerrarlo. Imposible, años de espera habían alabeado la verticalidad de las hojas dejándolas inutilizadas para el cierre.

Dentro, el polvo, una mezcla de ceniza y arena, contribuía, amontonándose sobre muebles y cachivaches, a hacer la casa más acogedora, más centrada en el camino. Y sin poderlo evitar, inicié sobre el polvo de una cómoda el movimiento del pendolista al trazar las curvas barrocas y excesivas de una mayúscula inglesa. Un oficio de soledades largamente aprendido frenó la acción, y apenas un rasguño, nada con referencia a nada, se dibujó en la cómoda.

En una mesa, como una provocación, envuelto en papel de periódico se veía un ramo de buganvillas, un detalle infrecuente porque no es costumbre armar adornos florales de interior con esta trepadora. Parecía que alguien, dispuesto a conformar lo fuera con lo dentro, había elegido precisamente las flores del arbusto que encendía la casa, para hacerlas efímera imitación de una seda teñida.

También el abandono y el olvido fosilizan las cosas que han sido parte de nuestros días. Y aquí, como testimonio de un pasado lleno de emociones, la biblioteca y el patio recababan todo el interés del visitante. Especialmente la biblioteca daba la impresión de estar pronta a descubrir el misterio de quienes, habitándola o abandonándola, habían dado sentido a la casa.

Unos anaqueles al fondo de una habitación rectangular de anchos muros y poca luz, descubrían los escasos libros respetados aún por la codicia ajena. Lo verdaderamente interesante de este lugar eran las cartas de navegación, y no por la calidad dibujística, sino por la insistencia con que habían emborronado los espacios correspondientes a mares y océanos. Estuve a punto de sonreír. Recordaba esas fotografías que los niños, alertados del poder distorsionador de la plástica, suelen pintarrajear con bigotes y cejas desmesuradas. Aquí la cosa funcionaba de otra forma. No se trataba de improvisaciones infantiles. Estaba ante una manifestación de odio o miedo. De repente asocié la casa con el amigo abandonado por su insistencia en arrastrarme con él a la locura. Empezaba, no sé por qué, a entenderme con el mecanismo mental de aquel de quien huía. Actuaba —lo veía claro— con la misma pasión seductora utilizada por el drogadicto respecto de su entorno afectivo. Y concluí: Me está ofreciendo participar en lo que tiene, no sólo desea compartir conmigo el pan de la locura, sino la destrucción.

Próximo a un estanque encontré un grabado, una lámina anatómica de muy detallada factura. Se trataba de un corte cerebral. La mano destructiva también había intervenido en él. En esta ocasión se había limitado a marcar una línea de puntos suspensivos allí donde los surcos y circunvoluciones cerebrales sugieren la equívoca sensación de ser cañones y pasadizos entre altas montañas. La intención era evidente. Se pretendía que la lámina, con olvido de su dependencia con lo anatómico, pareciera un plano dotado de accidentes orográficos y enigmas. Por si fuera poco, la topografía estaba rotulada con nombres latinos que evocaban los de algunas ciudades del mundo clásico. La totalidad del grabado se hallaba sometida al poder de una palabra: *Laberinto*. Había sido trazada con tinta de un rojo muy intenso. Seguí, prestándome al juego, la línea para comprobar adónde pretendía conducir a la imaginación. Mi sorpresa fue que el dédalo, inicial parte de un cerebro, acababa allí donde el transgresor había escrito, para de inmediato tacharla, la palabra *Mar*.

Sólo tuve que volverme. Mirándome desde el gris acerado de una punta seca, el retrato de un joven parecía escudriñar la red no del todo impenetrable de mis obsesiones y angustias. Es casi un arte menor averiguar, partiendo de un retrato de adolescencia, el desarrollo fisonómico del modelo. Era él, no cabía duda. Me sobrecogí, en su mirada hallé una especie de reproche, como si su indignación fuera anterior a los hechos que la habían provocado y que tanto remordimiento me causaban. Estaba seguro que me encontraba al inicio de una aventura, la de un hombre que había forzado que ese principio fuera fin en el mío. Y entré en el patio.

Me precedió la voz. Llamaba a quien era una especie de custodio del pasado en esta casa. Aun sabiéndola allí, la llamé varias veces. Me negaba a mirarla, una inexplicable timidez me lo impedía. Y fui acariciando el verde de los helechos y las aspidistras. De inmediato, todavía sin mirarla, me concentré en el aljibe, bajo cuya losa el agua era apenas un rumor. No quería verla. Buscaba pretextos y nimiedades que agotaran al tiempo y a la mujer antes que verla. Como un ciego, un personaje homérico, fui al rincón. Allí, cubierta por tierra apisonada sobre cuya costra una mano artesanal había dispuesto conchas marineras armando guirnaldas y cenefas de trazos primitivos, estaba la tumba. Fue la voz de la mujer, a mi espalda, o ante mí mismo (no lo recuerdo), la que se hizo un todo con el patio.

—Cuanto más simple sea —señalaba la tumba— más lejano nos será el recuerdo. La muerte, liberada de referencias particulares, acaba por ser sólo muerte.

Quise excusar mi incorrección, pero ella, sin hacerme caso, tal si estuviera sedienta de explicaciones, prosiguió con voz grave:

—Él amaba en esta casa la ilusión de lo que no es, y, sin embargo, se contiene y limita en lo que ha sido.

Comprendí que me había convertido en un personaje del silencio. Nadie iba a impedir que la mujer narrase una historia para la que la vida misma la había preparado. Deslumbrado por la sensación de sombra que de ella emanaba, la dejé hablar:

—En su caso —continuó— nada se oponía al mar, al menos antes del sueño; después todo fue distinto. —Me miró al decirlo con la complicidad que sólo puede darse entre quienes conocen los riesgos de vivir y morir en un mismo sueño—. No es frecuente negar el mar, del mismo modo que no es lícito negar la evidencia. Pero con el mar, con el discurso del mar, la locura echó las primeras semillas, el diente de leche del desatino, y él quedó aprisionado en una trampa de espejos y ensoñaciones. Así como algunos construyen signos y símbolos de la inseguridad; de la misma manera que otros sufren delirios en los que el miedo desteje sus redes, él, víctima del deseo en sus más caprichosas formas, soñó una sirena. Al menos eso fue lo que dijo. Lo declaró en un susurro, temeroso de que el eco pudiera devorarla. Era terrible, estaba aprendiendo a hablar hacia adentro, a aspirar uno a uno los sonidos que conforman la palabra sirena. Creo que llegó sólo a pensarla. Y sentí miedo.

Como una actriz consumada la mujer fue narrando la historia del hombre y su locura. Fue un ejercicio de alambicada retórica, y fue también una declaración en la que la muerte empezó a adquirir el fulgor deseable de todas las metas.

—Al fin —continuó— algo triunfó dentro de él, y desde entonces permaneció callado. Fue un largo y asfixiante silencio. Y la paz, que tanto había añorado, acabó por adueñarse de la casa en la inexpresión fría del silencio.

Una tarde —lo confesaba avergonzada—, no pudiendo soportarse a sí misma, lo provocó. Fue ella la que habló decidida de la sirena. Su imaginación, no tan ágil ni aventurada como la del hombre, logró abocetar un mito ajeno al desvarío y las ensoñaciones. Lo estaba enfrentando con un despropósito que al creador de un sueño tenía que serle insoportable. La reacción fue inmediata:

—Dio un grito descompuesto y bestial, y, empujándome, me trajo aquí, a este mismo sitio (aún no habían colocado las conchas que adornan la tumba), y lentamente, con una voz nueva, hecha a la medida de quien ama lo imposible, fue diciendo que la sirena había sido arrebatada por lo viscoso y por lo azul, que sólo su esfuerzo y tenacidad habían servido para recuperarla, aunque muerta, clavada como pocos muertos en la necesidad de permanecer en el principio de la muerte.

Y mientras frotaba las hojas de helecho y las abrillantaba queriendo restar importancia a las palabras, terminó el relato.

—Esperaba que cuando viniera la gente de la Casa Alta, se retractara, pero la locura empezaba avariciosa a empollar el huevo de los rechazos. Fue necesario conducirle por la fuerza a su nuevo destino.

—¿Y usted, qué hicieron con usted?

—Fui práctica. Abandoné toda consideración sobre lo sucedido y me limité a responder a cuantas preguntas me hacían. Al final decidieron no llevarme con ellos. Uno de los intervinientes dijo que la soledad de esta casa me haría bien. Los otros asintieron y no hubo más. Me dejaron aquí.

Iba a preguntarle, requiriendo detalles de un asunto de tanta importancia, cuando volvió a hablar. Parecía decidida a cerrar el tema. Como una actriz consumada sólo esperaba una indicación del público para retirarse.

—Me dejaron en las proximidades de la tumba (esa era la intención de la gente de la

Casa Alta), así acabaría de santera de un mito nacido y muerto en una noche de delirios.

Extrañamente conmovido, empecé a llorar.

La mujer, como si se contuviera, tal vez turbada ante la osadía del llanto de un hombre, volvió a la mímica y a la gesticulación. Fue de acá para allá, rodeó la tumba, insistió en enderezar las hojas cargadas de esporas de los helechos, y, temerosa de contagiarse de la emoción, abandonó el patio. Aún pude oírla:

—Las lágrimas —dijo— son un lujo para quien lleva tantos años esperando.

Entendí de pronto lo que hasta ese día sólo había sido presentimiento, y arrancando el grabado anatómico de su marco, me dispuse a descifrar el laberinto. No cabía duda, en él estaba la solución, al menos para quien, como yo, buscaba una respuesta en el camino.

Aunque fuera innecesario para quien goza de la virtud adivinatoria, lo leí. El laberinto sólo podía conducirme a un lugar, al borde de un acantilado, al punto de los equívocos. Volvería. Excepcionalmente se me iba a permitir regresar a las fronteras mismas del error. No es frecuente deshacer las ilusiones puestas en lo equívoco.

Se hacía necesario recuperar el hilo, llegar antes de que las cometas, su vuelo, la misma afrenta de la enfermedad deshicieran el misterio único de la locura.

—Sólo nos queda la locura —creí escuchar allí donde unas alas puestas a secar perdían la última referencia con el vuelo.

Debía recuperar al hombre tal y como era antes de ser abandonado.

En la propia decisión de retorno estaba la idea de que ninguna casa espera a los arrepentidos por muy noble que sea su empresa y su propósito.

Un golpe de viento arrancó las alas, y fue como una luz reventando en el cielo.

A medida que regresaba me pareció oír la voz teatral y clamativa del hombre queriendo imponerse contra ella misma. Estaba invocando cuantas cosas no deben existir, y quedé conmovido.

Entre las invocaciones preferidas por el que niega la existencia del mar estaba la idea del retorno, de mi retorno y de mi propia existencia.

—¿Por qué este insensato me rechaza? — me pregunté perplejo.

De repente lo entendí fácil. No es a mí a quien rechaza. Está fingiendo en alta voz, y ello equivale a negar el canto de las sirenas. Era el miedo a perderse en un mar dudoso lo que le hacía vociferar.

Y percibí los límites concretos de la revelación, y grité más alto que sus gritos y que los ladridos de los perros: Nunca volveremos a soñar.

Sí, lo veía claro, pero era necesario que él también lo entendiera: los sueños confunden su naturaleza con el mar, y hay náufragos que en las noches se pierden no en las profundidades de los mares, sino en el oleaje de sus fantasmas.

Y en un arrebato sentí la necesidad de componer una parábola clásica:

—Si la mujer de la constante espera, o él o yo soñamos, nadie librará a Penélope de los pretendientes.

Ya estaba junto al hombre. Ahora sí oía cierta y calmada su voz:

—La playa es sólo distancia.

Tuve la impresión, o quizá fuera sólo vanidad de presencia, que un nuevo sufrimiento se había tallado en sus facciones, y me dio calor pensar que mi marcha le había hecho daño.

Quise explicarle cuantas cosas eran menester para el regreso, pero simuló ser víctima del morbo de una nueva locura, y no me hizo caso. Inmóvil, rígido e inmóvil, parecía ser presa de un desolador estado catatónico (la añoranza del loco por la estatua), aunque algo me hizo suponer que todo era fingimiento para hacer más fácil la huida de mí.

Le cubrí los ojos, y mientras descendíamos en busca de la casa que está en medio de todas las visiones heraclitianas, le fui hablando del mar, de sus nombres, de los símbolos y afines de sus nombres, de sus clases y aguas, y al hacerlo no olvidé decirle de aquellos que navegan y no vuelven, y de quienes, como una respuesta, se sumergen en las aguas en busca de la nada o lo infinito.

Poco a poco fue perdiendo rigidez, y de pronto empezó a cantar, y lo hacía mansamente. Era como si estuviera entregando al viento del olvido la innecesaria geometría de una antigua crónica.

Tenía tal deseo de llegar que me pareció escuchar el ladrido de los viejos mastines. Me sorprendí a mí mismo especificando una clase de canes que nunca había visto a la puerta de la casa. Las cadenas seguían herrumbrosas serpenteando por el empedrado de siempre.

La mujer me esperaba, y, aun ante ella, tardé algún tiempo en quitarle la venda al loco. Cuando lo hice tuvo un momento de desconcierto, y empezó a dar voces con un tono ajeno a la aceptación o al rechazo de las cosas reales. Después, tomando de la mano a la mujer, se apresuró a entrar. No sé, tuve la impresión de que ambos se dirigían a la biblioteca, y que, ignorando polvo y desolación, buscaban ávidos en el viejo grabado, en la lámina donde una sección del cerebro no muy bien dibujada muestra el camino a algún sitio perteneciente a la geografía de los presentimientos. Más tarde los pensé en el rincón del patio donde una forma de tumba cumple un cometido real. Quizá sea sólo testimonio perpetuo de un delirio. No, no puedo precisar la manera en que ambos se produjeron, ni las palabras que pronunciaron, si es que rompieron el silencio para satisfacer la veleidad de las frases ocasionales; para entonces yo terminaba mi viaje y golpeaba la puerta siempre abierta intentando cerrarla. Nadie más debiera entrar o salir de la casa.

Cumplida la misión, aclaradas las líneas secretas del laberinto, decidí dejarme llevar por el cansado ritmo de los pasos. Soy el que no va a ninguna parte, y sólo un propósito sostiene mi futuro, negarme al sueño y a los mares.

A veces, en mi larga vigilia, en el ritual de la noche desprovista de sueños, oigo, realidad o espejismo, ladrar a los mastines de la casa. Ladran inútilmente, e inútil amenazan, pues ya nunca podré ni sabré volver a ella.

ÍNDICE

ÍNDICE

ÍNDICE